超越生死的智慧

台灣大學哲學博士
陳俊輝◎著

序

人是一個靈、肉合一的人。因為他具有肉體，所以，便有苦難、煩惱和死亡；不過，由於他也具有靈魂，因而，他有精神的需求、有精神的理想和目標。

有哲學思想家說，人因為肉身在世，要過人世間的生活，所以，他是「在世的存有」。可是，更有宗教神學家說，人因為有精神活動，靈魂不朽，因此，他是「超世的存有」。

為此，不管人是屬世的，或者是屬靈的，他不能不面對的一件事實便是：他必須正視人生，而自己去生活。當然，也因為他必須重視自己，所以，他不能不去瞭解自己的死亡。

人的一生，是由他有生命的存在於世而開始。而有開始的事物，自然就有結束的一天；因此，人也有他生命離開此世的時辰，那就是他的死亡。

從人有生、死的事實來判斷，人的生命幅長，可以說是充斥了自由與命定、偶然與必然、善與惡、責任與悲劇，以及平安與苦難……等這相對立的因素。

由於有命定、有必然、有苦難、有邪惡以及有悲劇，人勢必要走向絕望，走向灰暗的未來，也包括了他的死亡。

但是，可不要忘了，人還有自由，還有偶然，還有善，還有責任，以及還有美好的理想，可堪人們去嚮往、去追求；所以，人不必然要走入絕望，也不必然非要面對他無助的未來，他可以擁有「超越」死亡的可能性。

這時，如何瞭解生、死，便成了一個人存在的最大關切，也可以

稱作是他的終極關懷（the Ultimate Concern）。

基於這個人存在認知之背景，我們打算從享樂主義、醫學、科學、哲學、佛學以及神學（宗教）的觀點，綜括地來探討人類的生、死。此中，也深入解剖中、西歷來偉大的聖哲，譬如：老子、莊子、釋迦牟尼、蘇格拉底、柏拉圖、摩西、耶穌、保羅、祁克果，以及海德格……等人的心靈世界。期待能由他們對生、死的詮解中，找出你、我個人的生命導航燈。想必，這也是身處在渾渾濁世的每個人所必須擁有的生命智慧。以上，是拙著之所以寫成的主要動機。

在此，筆者很想深致謝意的是，由於宇河文化出版公司的盛情之邀，才使得拙著得以順利地問世。至於臺大哲研所的研究生張培倫不眠不休地費心整理錄音稿，以及王尚文、何畫瑰和彭涵梅同學，協助電腦打字，在此也特申由衷的謝忱。謹誌。

重新編印序

生，是一個命定？一個驚奇？抑是一個玄謎？而死，無非是一種定命？一種宿命？抑是一種解脫？自古以來，多少騷人墨客，多少哲人詩聖，豈非常醉心於謳頌生，喟嘆死？讚美生，而思遠離死？……誠然，生應是你、我所願者，死更是你、我所惡者；難道這不也是絕大多數人內心深處的一道吶喊？

近幾年來，我們平日生活的環境，確實有了奇大的改變：遠在美國的紐約，曾遭逢九一一恐怖的攻擊：南亞的泰國與其鄰近國家，則受到世紀大海嘯的襲擊；我們台灣中部，曾遭逢九二一大震災；今年中國四川的大地震……等，在在喚起了人們對天災地變，乃至人禍的恐懼與傷痛。

莫非世界已屆其盡頭？不然，一次又一次的災難，一波又一波的破壞，可一直針對有情衆生而來？世上的人類，是否該冷靜一下，來思索他此時、此刻的生活步調？如果一切均出之於自然，那世人們只

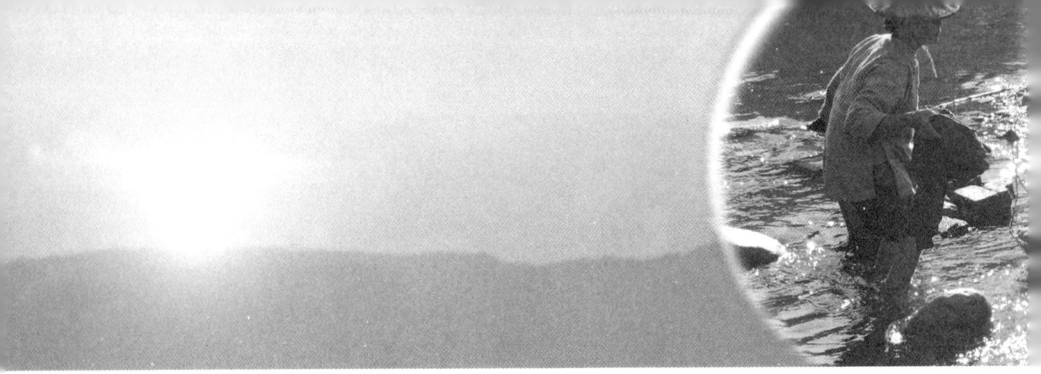

有徒呼無奈，又能如何？如果一切係出之於「天意」，那世人們又豈能規避他個人應有的責任？

說到這裡，基督（宗）教的《聖經》‧馬太福音二十四章之論及耶穌再臨的一些預兆，刻正閃過腦際；它之帶給人心的訊息與震撼，無非是可怕又恐怖。教人不注意到它對今世人們的警告，都很難。因為，它攸關你、我這偌小生命的福、禍！是在世、不在世？是生，或是死？……啊！一切均是「命」乎？一切都已「定」？一切豈都是「謎」？又，一切豈都可「解」？……

感謝宇河文化較早的一通來電；電話中傳來有意重新編印拙著。說真的，當時筆者一方面感到有點訝異，一方面又感到欣慰。欣慰的是，關乎人類的生、死大問題，總是優超於一切的思維與考量。特別是考量到時下出版業的景況，想必，這是生活在現今台灣社會的你、我所不會不知的；這，就是本人訝異之所在。總之，筆者再次要感謝宇河文化的魄力與鼎力支持，才使得拙著能以再度的問世。

陳俊輝　謹誌

淡水本篤山麓　2008.10.24

目次

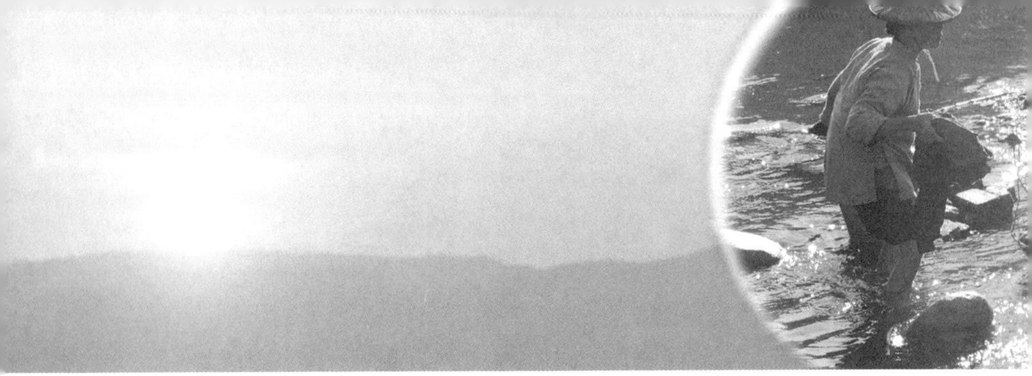

四、思想家對享樂（主義）的認知 44

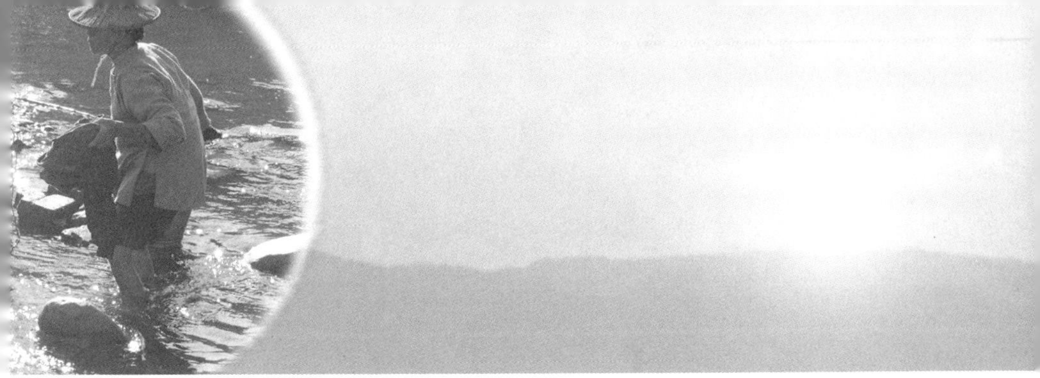

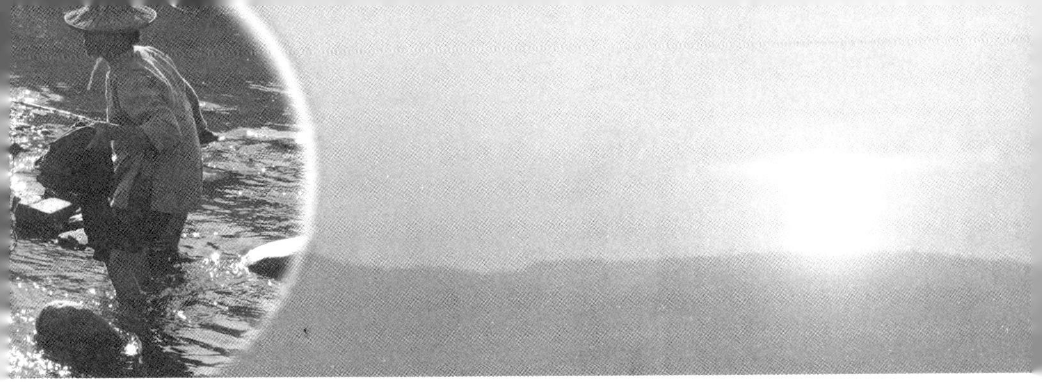

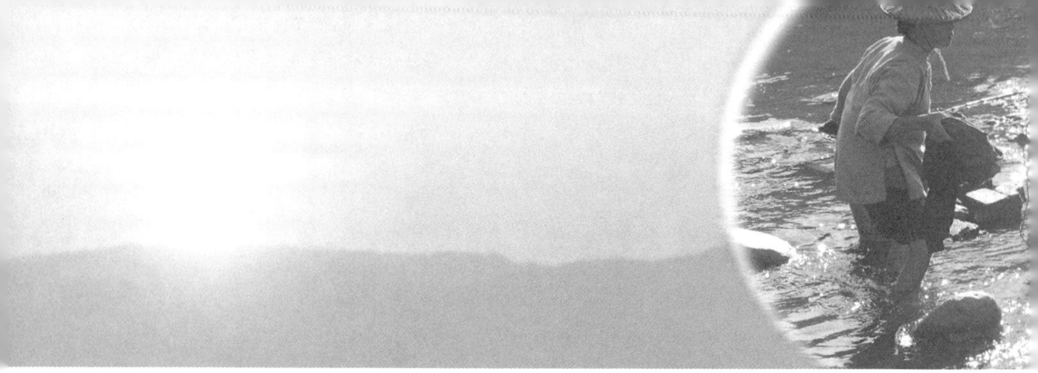

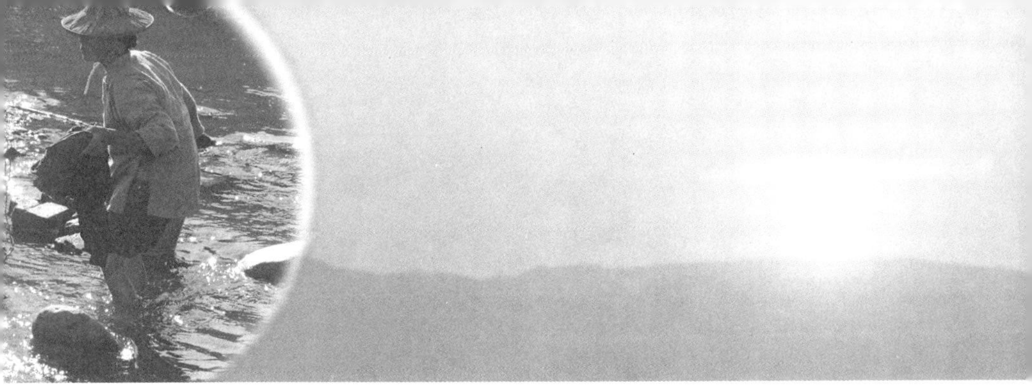

第1章 享樂主義與生命

一、凡是人都會死

你相信「凡是人都會死」這個哲學、科學與神（佛）學的命題嗎？

在對高深學問的研究裡，特別是學哲學的人，在他們基本邏輯（學）的課程中，總會有許多的論證形式要詳加去學習。而爲了讓學生容易理解，並且能熟悉這些論證形式，授課老師經常會舉一些生動的例子來作說明。其中，有一個例子是大家耳熟能詳的。

這是一個論證，它的前提有兩個，也就是大前提：「凡是人都會死」，以及小前提：「蘇格拉底是人」，而結論則是：「蘇格拉底會死」。

或許，青年學生們都只是把這三句話當成普通的語句範例；但是，稍具敏感力的人，卻是嗅到了這個事例背後所蘊含的深刻意義。因爲，大前提「凡是人都會死」，並不是一句我們可以任意忽略的事實描述。的確，沒有人會去懷疑「凡是人都會死」。小

時候，我們看著自己的祖父母過世；長大後，我們看到了父母逐漸地衰老過世。平時，我們不知參加過多少次至親好友的追思禮拜或喪禮。也許，我們一生所摯愛的伴侶，也會在我們的懷中嚥下最後一口氣！最後，我們更會發現：或正在患病中，或正在蒼老、衰微中的我，也快要死去謝世了！

當代德國的存在暨存有學的大師海德格（M. Heidegger, 1889~1976）就曾經指出：**人一出生，就等於是被投入一個死亡的氛圍中。**我國古代道家的莊子（ca.350~270B.C.），也有這類的主張。像他就說過：「**生也死之徒，死也生之始。**」（知北遊・二十二）；「**死生為晝夜。**」（至樂・十八）；以及「**死生存亡之一體者。**」（大宗師・六）

海德格

的確，世人不但在他一生之中要經歷自己的死亡，同時，他更是作為一個邁向死亡的存有。這也在說明，死亡對於每一個人而言，則使我們

不但時時刻刻在看著別人的死亡，自己更在同時走向自身的死亡。

人在他一生的歲月中，就算耗費再多的時間與金錢，去尋求長生之方、不死之藥，死亡仍將如影隨形般地一直纏繞著我們，教我們揮也揮不掉、甩也甩不開。更可怕的是，常常在不知不覺中，死亡之神便突然降臨，把我們攫走了；而換得的，卻只是親朋好友，或旁人的啜泣與嘆息。

死亡眞的是一件宿命，世上全沒有一個人能夠避開，又躲得過。

死亡固然是任何人所不能拒絕的事實，但是，事實上，並非每個人都那麼甘心樂意地接受它。

在人類各個時期的文化發展，或社會的演進中，總有許多人孜孜於對長生之方的追求，以試圖藉此來規避自己的死亡。譬如：古代中國的秦始皇，他就曾派遣徐福遠赴海外去求取長生不老的藥方。又如：西方傳說中的生命之泉，也讓許多的英雄豪傑，爲之歷經艱辛。

可是，這些傳奇的故事，卻都有著同樣的結局，那就是：所有相關的人物，毫不例外地全都死了！

人生自古誰無死，但是，爲什麼卻有這麼多人不想死，更不願意死呢？這個世界到底有什麼東西，能讓我們如此地依戀著它呢？在我們思考死亡本身時，就有必要先對這個問題加以瞭解，否則我們對死亡的思考，必定會流於浮面之言。

筆者認爲，重視享樂，或追求安樂，就是許多人不願意面對死亡的重要原因。因此，在本書一開始，首先讓我們認識享樂主義到底是隱藏著什麼玄機，以便於對死亡能有一個更深入的理解。

二、享樂主義是什麼？

1. 享樂的定義

到底什麼是享樂主義呢？先讓我們來看看「享樂」一詞的定義與類別。

單單根據字面上來看，享樂就是享受快樂。凡是人，不免都喜歡安逸，而不喜歡勞動。所謂安逸，就是什麼都不想做，最好坐享其成，天天吃喝玩樂，四處遊蕩。在我們這個社會中，很多人都有這種想法；特別是，有人提到當前所謂的新新人類、X世代或Y世代。由於現今社會經濟上的富裕，他們浸淫其間，大都喜歡貪圖享樂，卻不喜歡勞役、勞苦和勞動。

筆者覺得：勞動是一個很好的現象；透過勞動中的體力、心力、時間與生命的付出，你會從勞動過程中所經歷到的點點滴滴的辛酸苦辣，以及由你手中所製造出的成果，深切體會到無窮的精神價值與滿足。以前在農村時代，人們多是日出而作、日落而

息。他們在辛勤體力的勞動中，若有幾分的耕耘，就有幾分的收穫；這種喜悅，實在是難以形容。所以，在農業時代的人們，大多比較容易滿足。因爲，他付出了多少的時間與體力，就會立時得到多少的果報。那一種的快樂，是非常眞實又純樸的。

但是，現代人們所居處的這個工商業社會，文明正日新月異，而一般的競爭又愈形激烈。大致說來，我們體力的付出，雖然得以輕省又減少許多；因爲，有很多的代替品，也就是說，有各式各樣的機械可以用來代替人們的體力。所以，人類就把他更多的時間，投注在其它的領域中，並且樂於去憂心、煩惱那些事情。但是，這種快樂的獲得，畢竟是短暫的、瞬間的，而且很容易就會有所改變。

以前的農夫，白天是很辛苦的工作，所以，晚上便很容易入眠。但是，現代的人卻不是這樣了。表面上，他是很想獲得快樂，實際上，卻是相當地不容易獲得眞正的快樂或樂趣。因爲，我們已把更多時間，投入到更多的，又更忙亂的事業裡。所以，人從中獲取的快樂，也只算是短暫的；伴隨而來的痛苦和憂愁，則更是起伏莫測。這就是現代人類心靈的悲哀。也因著這樣患得患失的情形，現代人經常要失眠，或生活作息迭次不

正常的現象，也就越來越多。

眞正的快樂在哪裡？

身爲一個現代文明之人的你、我，應如何才能夠獲得快樂的人生呢？古人曾經告訴我們一個很簡單的原則，那就是：「知足常樂」、「安貧樂道」。這兩句話，在今天看來顯然是有點迂腐；可是，在現代這個「人比人氣死人」的社會裡，卻也不無道理。

想想看，如果有這麼一個人，一直要跟別人比汽車、比房子，而所謂人生的實情便是：一山更比一山高，那麼，他永遠也不可能心滿意足的；這樣，他如何能得到眞正的快樂呢？

記得幾年前，有一則新聞報導，曾披載了一件聳人聽聞的消息：有一位頗有名氣的女明星，在天母逛服飾店的時候，由於一時按忍不住便順手牽羊，偷了幾件衣服；結果，卻被店主發現，而將她扭送到警察局。一般人實在很難想像，這樣一位有頭有臉的知名公衆人物，居然還會想要偷衣服，難道她的衣服還不夠多嗎？還是她沒有錢買嗎？

我們想，到頭來仍是一個「貪」字在作祟。有人就是因爲不滿足，或者說，根本就不知道什麼叫做「知足」？於是讓慾望橫流，終至鑄成了大錯。

這當中的原理、原則，一般人總不太容易瞭解它的究竟，更遑論能夠去切實的遵守；因此，他就一直想要超越，另起爐灶。於是，煩惱便隨之增加，而心理也永遠不能滿足。因爲，他欲望無窮無盡；所以，每天便只好活在愁苦之中。

基督（宗）教的《聖經》曾這樣說：「**勞碌的人不拘吃多吃少，睡的香甜；富足的人豐滿，卻不容他睡覺。**」（箴言）；意思是：一個勞碌的人，每天要外出辛勤工作，他有多少付出就有多少收獲，結果是很容易得到滿足的。所以，儘管他每天的工作，能教人汗流浹背，筋疲力竭，到了晚上他卻能呼呼大睡。不過，富人就不一樣了；因爲，光是去想要把錢財放在哪裡，就很傷腦筋了。要是把它放在家裡，則怕強盜來打劫；鎖在保險箱裡，又怕小偷鑽個洞來偷走，這樣每天提心吊膽，又怎麼能夠教他安心睡覺呢？

剛才所提到的這本《聖經》，又有一則故事。它說到一個富人，有一天曾跟他自己的靈魂這麼講：「我的靈魂哪！你看看，我爲你積蓄了這許多的財富。我的靈魂哪！你今天好好地享用吧！來年來日必足夠你享用不盡。」這時，耶穌——《聖經》的主角就說：「**富人哪！你不要再作白日夢了，今天晚上（神）就要取你的生命。**」從以上這個故事裡，可以讓人知道：一個自恃財富無邊的人，他雖然居住在由錢財所構築的城堡裡，但在轉眼之間，他卻可能一貧如洗，一命嗚呼哀哉。所以，一個人家道的富足，應不在於他的財富的多寡；能夠安貧樂道，知足常樂，這才是人生最眞實的快樂。你相信嗎？

2. 享樂的類別

說到享樂，不知道你能否明白享樂的意涵，以及享樂的類別有哪些呢？據筆者的理解，我們可以將它區分成以下這幾大類：

第一種是跟著自己的感覺走，即隨著自己起伏不定的情緒，而從中得來的一種樂

趣。有人認爲：先要滿足七情六欲的需要，才能滿足感官的快樂。所以，我們稱它爲：感覺，或情緒上縱情的快樂。

第二種是較高一層次的快樂，也就是指：感性、審美層次的快樂。例如：欣賞大自然的山川美景，以及品味藝術家的創作……等；藉此，可以使一個人獲得超出他個人的喜好，而且是與他個人的欲求了無關係性的美感的快樂。我們就稱它是：一種能超乎個人的情慾之上的美感的快樂。

此外，第三種的快樂，就是屬於知性層次上的快樂。例如：在追求某樣的知識當中，就可以教人獲得某種的快樂。這是因爲，有些事情是我們原先所不瞭解的，一旦能夠瞭解之後，即達到了所謂的豁然貫通；在那時候，我們內心的喜悅，眞可說是難以形容。想必大家都有以下這一類的經驗。當我們在做數學題目之時，就會有這種情形出現，也就是：當一個方程式解不出來的時候，它總教人絞盡腦汁，苦思冥想，而使人懊惱非常。但是，等到答案一算出來，理氣貫通，頓時即有通體舒暢的快感；這種快樂，有時候眞的是很難去言表。又如：以往在小學、中學的時候，我們學到的東西都算是零

零碎碎的，有時候甚至還搞不清楚：學習那些東西到底有什麼意義？但是，有一天，如果你聽到一個很好的學說理論，並且發現它就好像是一條線一樣，可以把那些零散的珠子一下串連了起來；你那個時候就會發現：知識的眞相與整體性，原來就是如此。而知性上的滿足與快樂，也將自你心中油然而生。

另外，還有一種的快樂，那就是德性上的喜樂。在我們的周遭，有些人會縱情縱欲、醉生夢死；但是，另有一些人卻是在追求更高的精神境界。因爲，他們認爲：其他人正出入於不正當場所，而我卻想中規中矩地生活，從不涉足其間；唯有這樣，才可以快樂地生活，變化我的氣質。有人說，學琴的孩子不會變壞；因爲，從琴韻、琴聲與美妙的樂曲中，可以陶冶其心情、心緒，並改變他的氣質。像諸如這種能修德、修行工夫，人從中所獲得的喜樂，也是難以形容的。

身爲一個佛教徒，在他參禪打坐的過程，感覺是如何？他即會告訴你：他的那種喜悅，委實是難以言述的。他的喜樂，是來自於禪定的心緒；思慮非常沉靜，外在世界的變化，根本是與他無關。就在他打坐冥想當中，他會說：我能洞察到自己的心性，並且

瞭解到自己的過去、現在與未來。

又如，孔子（551～479B.C.）說他的學生顏淵：「**居陋巷，回也不改其樂。**」這是因爲，顏淵就算他的生活多麼地困苦，他也能夠安貧樂道。我們想，這都是勤修內心的一項結果。再說，對一個基督徒來講，他也是一樣。基督徒經常就是以聽道、讀經、歌頌，以及禱告這類的靈修而獲得喜樂。至於喝酒，雖然可以帶給人們肉體上的立即快樂，但是，喝酒終究不可能眞正解決問題。所以，有人常說：「借酒澆愁愁更愁。」不過，如果有人願意去修德、修行和沉思……等，藉著這些方便法門，想必，人間很多的憂慮和煩惱，應都可以卸除了。

孔子

此外，還有所謂悟性和靈性上的快樂。這兩種快樂，我們則將它定義爲：宗教上的快樂；這是一種福樂的感受。靈性的快樂，可以被界定爲：基督教（徒）式的快樂。有如先前已提到的，它是一種在聽道、讀經、歌頌、禱告，或靈修中所獲取的快樂。我們

認爲，悟性與靈性的活動，經常是重疊，又相關聯的。由於宗教徒必須要從事修行，以驗證宗教義理，並且要使自己的德行，在修行中得以精進；所以，他們很重視性靈上的悟道之樂，以及行動上的力行之樂。

你是不是一個「反省人」？

由以上可知，快樂是可區分出感性、知性、悟性、德性與靈性各種不同層次，或不同等級的快樂。當然，今天我們並非每一個人都是基督徒或佛教徒這類的宗教信徒；因此，身爲一個自然人，你、我如果想對快樂或享樂有所瞭解，那麼，就不能只想要作一個平常人，並且認爲：平常人就容易使自己能夠達到身心協調，進而享有愉悅之情。筆者個人覺得，面對現今的世界，處身在各種事物的變遷中的我們，首先就應該要潔身自愛。因爲，能有這樣的一種體認，我們就會發現：人活著，當不能以只去作一個自然人就滿意了。更重要的是，要使自己學會作一個反省人，也就是對任何一件事情，都能夠用一點心思去進行思考、內觀，並且加以實踐。

身爲一個反省人，他就會做修德的自我要求；他也將樂於去遵守一些修德、修行的規範。這種修己的喜樂之情，或修行的樂趣，不是一種感官經驗上的快樂，而是一種在哲理的、德性的體察中所獲得的快樂滿足。這是享有自己眞實生命的一種感覺；所以，我們每一個人都應該立志去作一個「反省人」。

作反省人，它自是一個起步，從它則能夠使自己走向所謂儒家修德修行的道路，走向道家修身修心的道路；甚至，可以走上佛教參禪修性的道路，或者走上基督（宗）教那種在超越界和眞神靈交的無上喜悅的永生之道。

三、各宗教對享樂（主義）的見解

以下，我們想談談各宗教對快樂、安樂、享樂、喜樂或福樂的看法。

1.儒教

受中國先秦的儒家所影響的儒教，認爲：一個人若能夠知命、認命，敬天又事天，尤其在爲人處事上，能夠盡人事聽天命，樂與人善；那麼，他就能夠獲得快樂。而在貪圖不義之財上，就會帶給他災禍。

總之，對一個儒教徒而言，平日敬謹待人，恭敬行事，信守古聖賢的教示，他就能安享盛年，並且也從上天獲得人間的至寶：福、祿、壽。

2.道教

受中國先秦道家思想所影響的道教，認爲：人間的快樂，即來自於諸人類事務完善

的協調與和諧。一個虔信者兼行善者，他就能夠得到上帝的恩賜，並且擁有眞正的福樂。道教信徒所敬奉的上帝，就是玉皇大帝；這位玉皇大帝，是能掌管宇宙中各階層的諸神。

由於道教基本上深受道家力倡自然無爲之哲學的影響；所以，它也追求「道」的眞樸、謙柔的生命境界。在道教看來，人世間的不快樂，當是由於人的欲望太多，事事不能得到滿足的結果。所以，它積極倡導：人應該力求去私寡欲，去爭安命。如果一個人能夠虔信天神與積極行善，他就有機會得到上天的恩寵。

3. 佛教

發源自印度的佛教，它對快樂又是如何的定義呢？據我們所知，佛教徒總是認爲：智者和力行禪修、行善的人，在現世都能夠獲得快樂；他們把它稱作：法喜。由於世人們多刻意追求現世的曁感官上的快樂和幸福，佛教說：人們所獲得的，則並不是眞快樂，反而往往受到貪、嗔、癡的蠱惑，而教人身陷煩惱的網羅中。所以，它主張：明心

見性、修心養性，這才是眞正快樂之源。

4. 基督（宗）教

對一個虔誠信（眞）神的基督徒而言，他總認爲：自己應該追求重生，努力靈修，以過著在地如天的屬靈的生活。所以，他人生的整個設計與希望，便是想倚藉信仰的生活，去迎接一個永恆的來世。祇是，在這天國世界還未實現之前，他瞭解到：他仍應該過著一種分別爲聖的生活。儘管不信神的人，喜於沉緬罪中之樂，身爲基督徒的他，則深深知道：眞神的命令，就是要他與罪劃清界限。平時，要他在唱詩、禱告、讀經以及靈修的過程中，去證得與神在靈交中所能感受到的無上的喜樂。

這種人，由於深信自己的生命已被神所救贖，因此，他能明白：就算他今後的人生，要與一般人一樣經歷種種的人世的苦難，他也能夠甘之如飴。這是因爲，他早已認識到：自己的生命已永在神的手中；所以，無論是什麼遭遇，或者要什麼時候離開世間，他也會覺得無所疑懼。這時，他懂了凡事交託，眞正聽天由命。爲此，可以說，他

的整個生命，即是活在神賜的快樂裡，而根本沒有任何的牽掛和憂慮。

基督（宗）教的教主兼救（世）主耶穌曾說：「**在這世界有苦難，但是你們（按：門徒）可以放心，在我裡面你們有平安，因爲我已經勝了世界。**」的確，就因爲有耶穌的這種允諾，所以，歷來的基督徒對眞神多能生發信心，對基督耶穌更懷有堅定的信賴之情。原因是，他們都知道：人在每天之中要擁有快樂，他就必須一直生活在神的恩寵裡。

總之，基督徒的人生，當是一種喜樂的人生。不論他在任何時候，他總是倚藉神的恩眷而得到常人所無法得到的喜樂。

說到這件事，就讓人聯想到耶穌的門徒之一——保羅。保羅在《聖經》‧羅馬書第八章裡曾經這樣說道：「**誰能使我們與基督的愛隔絕呢？難道是患難嗎？是困苦嗎？是逼迫嗎？是饑餓嗎？是赤身露體嗎？是危險嗎？是刀劍嗎？……然而，靠著愛我們的主，在這一切的事上，已經得勝有餘了。因爲，我深信無論是死，是生，是天使，是掌權的，是有能的，是現在的事，是將來的事，是高處的，是低處的，是別的受造之物，**

都不能叫我們與神的愛隔絕；這愛是在我們的主耶穌基督裡的。」

以上，是保羅對生、死的眞確體驗。意思是說，他在人世間也和一般人一樣，會碰到諸如：患難、赤身露體、危險、困苦、饑餓，以及逼迫的情事。但是，儘管如此，他說：他絕不會與愛他的眞神斷絕任何的關係。當然，他更不會貿然離開基督的大愛。因爲他知道，有這樣的苦難加在他身上，就顯示出有神的旨意及保護。所以，保羅會說，他愈是碰到生活上的逆境，就愈能體會到神對他的幫助；因而，更能在與他的神的交通中而經驗到密契的喜悅。

的確，在喜悅的感受中，保羅是已認知到：就算他的肉身遭受到災難，生命也經受著危險，但是，這可不用駭怕。因爲，他之所以活著，其實那並不是他自己在活；他的生命早已交給基督——他已是基督的人了。所以，現在活著的，即是基督在他裡面活著；他若死了，就有了益處。

我們謹參保羅在羅馬書第十四章裡有關這種「人生觀」的言論：「**我們若活著是爲主而活，若死了是爲主而死；所以，我們或死或活，總是主的人。**」筆者認爲，他的這

種觀點，完全是把自己的生、死置之度外了。說實在，如果一個人一直害怕自己的生命不能夠維繫下去，更驚怕突來的死亡會奪去他的生命，他就會憂懼終生。不過，如果一個人眞能夠把自己的生命交託給眞神，那麼，無論他是活著或者死了，他應該都是神的人、基督的人了；他將來還有永生復活的盼望。所以，這有什麼好擔憂的呢？

5. 猶太教

在猶太教中，被教徒們所尊敬的摩西（Moses, ca.1500B.C.），他的一生，也有頗傳奇的生活經驗；祇是，他總未離開曾帶領他的耶和華（雅威）眞神。由於篤信神的權能，他認定：義人死後會到另外一個世界（天國）去。所以，他便抱持著這樣的信心而活；同時，也抱持著這樣的信心而死。

據載，摩西在他臨終之前，曾交待百姓說：千萬不要忘記，即使他們在平常生活上迭次遭逢痛苦與危難，背後總是有神在引導著他們；所以，絕不能遺忘神的恩眷。此外，他也叮嚀著：人在這世間只是過客，因而不要去戀棧這個世界，更不要把自己的生

命投注在這世界中的一切。因爲，有一天，地上的萬事全要過去，萬物都要毀壞。所以，人總應趁著還活著的時候，積極去爲自己尋找眞實的生命。

為此，他在《聖經》．申命記第三十章裡向以色列百姓這麼的說：「看哪，我今日將生與福、死與禍，陳明在你面前，吩咐你愛耶和華你的神，遵行他的道，謹守他的誡命、律例、典章，使你可以存活，人數增多，耶和華你的神就必在你所要進去得爲業的地上，賜福與你。……我今日呼天喚地向你作見證，我將生、死、禍、福陳明在你面前，所以你要揀選生命，使你和你的後裔都得存活。且愛耶和華你的神，聽從他的話，專靠他，因爲他是你的生命；你的日子長久，也在乎他。這樣，你就可以在耶和華向你列祖亞伯拉罕、以撒、雅各起誓應許所賜的地上居住。」

摩西雕像

是的，摩西曾告誡眾以色列百姓，要遵守天上眞神的聖道，這才能夠得到生命，得到福樂；否則，就會自取滅亡。不過，這究竟是怎麼說的呢？且聽聽他在申命記二十八章裡的陳述：「你若留意聽從耶和華你神的話，謹守遵行他的一切誡命，就是我今日所吩咐你的，他必使你超乎天下萬民之上。你若聽從耶和華你神的話，這以下的福必追隨你，臨到你身上：你在城裡必蒙福，在田間也必蒙福。你身所生的，地所產的，牲畜所下的，以及牛犢、羊羔，都必蒙福。你的筐子和你的摶麵盆，都必蒙福。你出也蒙福，入也蒙福。」以上所提到的，是蒙福的部分。

不過，如果一個人不聽從眞神的話，則會有怎樣的結局呢？他說：「你若不聽從耶和華你神的話，不謹守遵行他的一切誡命律例，就是我今日所吩咐你的，這以下的咒詛都必追隨你，臨到你身上：你在城裡必受咒詛，在田間也必受咒詛。你的筐子和摶麵盆，都必受詛咒。你身所生的，地所產的，以及牛犢、羊羔，都必受咒詛。你出也受咒詛，入也受咒詛。」這裡是有關遭禍的部分。摩西在生前對生、死之道既是如此謹守著，他同樣也以它們教導全猶太人要敬謹遵行。

至於耶穌，他也曾教示世人要有悔改的心意與行動。因爲，一個不悔改的人，這在眞神的心目中，看來就是一個死了的人。而凡是誠心悔過，並且接受神的話語的，他就有新生命。所以，耶穌這樣說：「**信主的人有永生，不信主的人沒有永生。**」總之，就基督教義而言，一個肯相信眞神的人，他就擁有生命與福樂；而不信眞神的人，就沒有永生與永福。

聯想

當代深受猶太旣基督（宗）教影響的丹麥宗教哲學家——祁克果（S. Kierkegaard, 1813~1855），對人的生、死也採取類似上述的看法：人活在這世間，總要去反省自己，認識自己。而最重要的，他要有神的觀念，並且持定永福的存在可能性。所以，他就這麼說：一個人，他生活在這世上如果沒有攜帶一種可能性，這種人就是非常可憐的。一個存在的人，總要活在有來生、來世的可能性暨盼望中。不然，一個人的生命，一旦缺乏了來世永福的可能，他即會陷入絕望。而且，就在任何時刻，只要他的生命欠缺各種可能性，他便馬上要因爲絕望而絕望。

從以上的提述看來，祁克果對人的生、死，也是有他獨特的理解與體驗。他體驗到人的一生，總不免有喜樂與愁苦的事；特別是，任何存在於這個時、空間裡的人，他的人生，總無法規避苦難。所以，祁克果說道：「**所有進入存在的，就是一種苦難；他會經受現實者的苦難。**」的確，這無非是全人類，甚至在這個世界中所出現的一切存有者的共同命運。原因是，凡是擁有生命的，他就擁有煩惱與苦難。

當代德國的存在哲學家雅斯培（K. Jasper, 1883～1969）就曾經說過，人活著，總不得不面臨四種的「邊界情境」，就是：苦難、爭鬥、罪愆與死亡。這是任何一個人都沒有辦法去規避的。而凡是面對它們的，卻多是遭遇挫敗與無助；所以，我們始終是個失敗者。海德格則說：人的存在就是不安。他當是從哲學形上學（本體論，又稱：存有論）徹底地發現人的存在結構本身，即帶有不安與掛慮的要素。諸如：人的理想不一定能實現；人對自己的親人會產生擔憂、牽掛的情懷……等即是。他說，這一切已顯示出：人類的存在本身，實在是與憂俱生。人從出生到死亡，時時刻刻都充滿著憂慮和掛念；而這，就是人類的命運和命定。

至於基督徒的生命原則，又是什麼呢？那就是：要永遠生活在有永福的希望、有來生的指望之中。他永遠不用擔憂有肉體死亡的威脅。其實，身爲一個人，基督徒當然也會怕死的。不過，由於他內心堅信有眞神存在，能使死了之後的耶穌又得以復活；所以，藉著那甦活耶穌的大能大力，即神的靈力，人就可以克服對死亡的恐懼，而永遠活在永生的盼望裡。爲此，他根本就沒有什麼好煩惱的！

說來，所有人之對死亡的看法，最大的擔憂，則莫過於：是憂慮他自身的生命不能繼續維持下去，且擔心死亡的臨在，隨時會將他現有的一切從自己身邊奪了去。而更大的擔憂，則是：我死了之後要到哪裡去？……因爲，有以上這類的憂慮，他眞會一直的煩心，而且是煩惱到死。不過，對神的門徒或基督徒而言，他因篤信神將來會拯救他；所以，他在今生今世已無所掛懷，因此能永遠喜樂於心。

6. 印度教

作爲一種地域性的宗教，印度教則認爲：所謂人間眞正的快樂，並非是來自外在的

物質世界，而是來自於人內在的精神世界。這種快樂，其實是一種內心靈魂的快樂，任何外界的事物都不能去毀壞它。這種快樂，即是源自於上帝（梵天），它也是行善者的一項報答；人間的賢者，就都能夠擁有這種眞正的快樂。

談到印度教，我們知道，它是改革過後的婆羅門教。這種宗教，它本身雖是相信世上有神，但是，它的神觀卻與猶太暨基督（宗）教的神觀有所不同。猶太暨基督（宗）教的神觀，係篤信：宇宙中祇有一位獨一的眞神（耶威、耶穌），而萬物，包括天、地、人等，都是祂的創造物。所以，眞神本是無形、無體的靈，而萬有則是有形、有體的受造之物。凡是有生命的生物，他就有生，有死；有一天，還會接受眞神末日的大審判。但是，印度教的神觀則非如此，它係採取多神論，乃至泛神論的神學觀點。

在印度教中，有人雖主張有一個主神，不過，爲了不同的目的與需要，這主神卻會有他不同的自體展現（化身、分身）；因而，一神可以變化或變現成多神。印度教中的主神，被稱作：梵天（Brahma），也叫作：婆羅賀摩。梵天可化身成另外三位神，即是：婆羅賀摩、毘濕奴（Vishnu）和濕婆（Siva）。該教認爲：婆羅賀摩當是宇宙的創

造神，毘濕奴是宇宙的維持神，而濕婆則是宇宙的破壞神。換句話說，它們則分別掌管了宇宙萬有的生、住、滅。

對於印度教徒而言，他們信奉的這三位神，都可說是宇宙主神的化身；所以，由此看來，印度教的一神論，本身也就蘊含有多神論或泛神論的特性。至於這種觀點，則和前述的猶太暨基督（宗）教有所不同。他們雖然都信有上帝，不過，印度教（徒）基本上卻是相信有輪迴與業報。再者，從印度教的教義觀點來看，他們總是認爲，這個世界本身，即是一個虛幻的世界；因而，人不能夠去執著這個世界。他們稱這個世界爲：麻亞（Maya），也就是虛幻（illusion）的意思。

所以，現今我們看印度這個國家，雖然目前它已擁有核子武器，但是，它的民間卻是相當的凋蔽疾苦。畢竟，由於大部分的印度人民，至今都相信印度教，並且頗重視和追求精神上的快樂；因此，安於現狀，甚至祇看重宗教心靈的洗滌，當可說是印度教徒尋求人生至樂的主要因源。

7. 耆那教

源自印度本土的耆那教，基本上，即是一個主張無神論的宗教。由於一向認定自我控制就是快樂之源；所以，一旦有誰能夠控制自己的欲望，他就能夠獲得快樂。這是歷史上的耆那教所教示的快樂之道。

8. 神道教

源自日本的神道教，則認爲：敬畏神明，效忠天皇，一生行事總要積德行善，這就是一個人的人生工作；也當是他獲取快樂生命的本源。至於有人問到：流傳於日本的武士道的切腹傳統，又是怎樣的呢？我們認爲，它的基本信仰，就是神道教。至於對武士道精神的強調，則應該視爲：就是其武士或有道德意識者，爲殉國、殉君，甚至殉主所認定的一種榮譽和「美德」。

四、思想家對享樂（主義）的認知

以下，且列舉幾位知名的人物，並且來看看他們對快樂、喜樂、享樂或福樂的品述：

1. 孔子

孔子在《論語》．季氏第十六篇中曾談到：「**益者三樂，損者三樂。樂節禮樂，樂道人之善，樂多賢友，益矣！樂驕樂，樂佚遊，樂宴樂，損矣！**」他在這裡是指：如果一個人能夠節制自己，能夠努力追求禮樂，能夠經常提說別人的好處與善行，不在背後說人家的壞話，並且能夠多與一些賢德的人頻繁交往，那麼，這種的快樂，對自己的身、心一定是有所幫助的。

至於另外的三種，對一個人的身、心卻是沒有幫助的，就是：喜歡追求驕奢、淫逸

的享樂，以及吃、喝野宴無度，這些都是有害一個人的身、心。以上，是孔子對快樂或享樂的看法。

2.洪應明

洪應明在《菜根譚》裡曾經談到：「**眾人以順境爲快樂，君子樂自逆境中來；眾人以拂意爲憂，君子憂從快意處起；蓋眾人憂樂以情，君子憂樂以禮。**」這就是說，一般人總認爲：人能生活在順境中，這就是快樂；但是，君子對樂的定義，則不是這樣。君子在逆境中總能體會到快樂；這是由於他愈是處在一個挫折艱困的環境中，他總會努力上進。並且，在安貧樂道之中，努力去提升人性的品質；因而，就會獲得快樂。

至於一般的人，則認爲：如果事情不能夠順應我心、合乎我意，他就一直覺得憂憂愁愁。不過，君子就不同了；他的人生觀，就是：人應該「生於憂患，死於安樂」。他並且認定：人如果整天處在吃吃喝喝的狀態下，這才是值得憂慮的事。

總之，面對人生的一些憂慮，一般人都是以情緒去面對；而君子，則懂得以清澄的內心、智慧的眼光，以及用哲理、知性的態度去處理。

3.羅家倫

羅家倫在他的《新人生觀》中曾作這樣的界說：「痛苦是生命的一部分，眞正快樂並非天上掉下來的，而是人從掙扎中產生的。在掙扎的過程中，自然有痛苦及快樂；等到成功後，甜蜜的回憶更是最大的快樂。好比爬山，山坡陡險，山路崎嶇，喘氣流汗，費盡氣力，但等到爬到山頂，放眼四周，那時得到的快樂，絕非那些從飛機上以降落傘落下來的人所能夠領略。」

又說：「女子生產的時候是極痛苦的，但是嬰兒的生命，母親的寄託，乃至民族的前途，都是從這痛苦中得來的。強者接受生命，生命自然伴隨著痛苦，但痛苦乃是快樂的母親，是黎明以前的黑暗；生命的奇葩，民族的光明，都從這痛苦中產生。所以，強者不求現成的享樂，而是承認痛苦，歡樂的接受痛苦，要從痛苦中尋求快樂。人生固然

要快樂，但安穩的快樂不但沒有用，而且是不值得享受的。」

羅家倫的這種說法，即道出了：真正的快樂，便是繫於要對痛苦加以認定與誠心接受；而在苦盡甘來之際，這才是一個人真正的快樂與享受。

4. 三毛

三毛在她的《雨季不再來》的〈自序〉中，曾這樣表示：「**真正的快樂，不是狂喜，也不是苦痛。在我很主觀的來說，它是細水長流，碧海之波，在芸芸眾生裡面做一個普通的人。享受生命一剎那間的喜悅；那麼，我們即使不死，也在天堂裡了。**」

從這段不算很長的心聲或心語裡，可以看出，對三毛而言，生命存在的那一剎，那種喜悅當是難以形容與取代的。快樂，就是要做一個很普通的人，不要做一個很出類拔萃的人。生活在普通之中，能夠安素守常，這才是真正的快樂。

5. 梁實秋

梁實秋在他的《雅舍小品四集》中曾這樣提到：「快樂是在心裡，不假外求，求即往往不得，轉爲煩惱。……沒有苦痛，便是幸福。進一步來看，沒有苦痛在先，便沒有幸福在後。……有時候，只要把心胸敞開，快樂也會逼人而來。這個世界、這個人生有其醜惡的一面，也有其光明的一面。……我們應該快樂。」以上，是梁實秋對快樂的看法；這種近乎平淡地品述快樂之道，你能不會心地一笑而認同嗎？

6. 祁克果

祁克果是一位經常自剖內心世界的宗教思想家。像他在《作爲一個作者我對作品之觀點》裡，就做這樣的告白：「無可解救的憂鬱如在我靈魂的深處，正容忍難以言述的痛苦，並絕望地要與世界、與一切屬於世界的事物斷絕關係。我從幼年期便被嚴厲地教養著，我被敎知著，凡是爲眞理的都要經受痛苦，要被嘲弄，要被貶抑。我每天花一定的時間祈禱，並作虔敬的默思；我認爲自己是個懺悔者。總之，我成爲一個是我本人的自己。不可否認的，我發現在這個生命中，在這項逆轉的瞞騙裡面，具有某一種形式的滿足，即僅滿足於看到這項瞞騙是何等的成功。這般的滿足，已成爲我的秘密，並且時

而令我狂歡；但是，它卻極可能成爲使我危險的誘惑。」

由以上這一段的引述，可以看出，祁克果是一個憂慮型的人；他的憂慮，則是繼承自他父親的性格。據文獻記載，他父親在祁克果年輕的時候，即對他的要求十分嚴格；不僅要求他要懂得許多做人的道理，更要求他行事中規中矩，什麼好玩的事情都不能做。

祁克果曾在《日記》中寫道：在被父親嚴格管教之後的他，自己儼然已成爲一個小大人了；他已沒有年輕人該有的狂放與熱情。由於被教導了一大堆大人們的生活道德、戒律與規範，等於是使他——這顆偌小的心靈，要活在一個不眞實的、自我瞞騙的世界裡；而且，更要讓他自己滿足於這樣的自我欺騙。

此外，祁克果又用很哲理化的術語，指出：**「個人，這個生命與存在，則是暫時及永恆的綜合。所以，任何的思辯哲學家所享受到的思辯上的快樂，那也祇是一種幻覺。因爲，他在這件事情上，也就是想要在時間內企盼他是一個永恆者。」**祁克果說，思辯哲學家的錯誤，就出現在這裡。

他又說：比那種思辯下的快樂還要高超的，卻是對一個人的「永福」所作無限激情的憧憬與關懷。再者，一個人之比較高超，這是因為他比較眞實；也是因為：他的生命（尤其精神生命），明確地表現出了這樣綜合。

其實，祁克果對我們個人的生命與存在，是有他獨特的體驗的。因為，他發現到：個人本身，便是由兩個矛盾的因素所綜合而成的產物。這就是指，個人是暫時與永恆的綜合者。雖然個人的靈魂擁有它永恆的存在性，但是，由於肉體有它朽滅暨死亡的限制；所以說，個人是作為暫時的無限者暨永恆者。既然個人是靈魂與肉體所結合的產物，所以，指稱個人是一個永恆與暫時的綜合，這並不違背常理。

至於他說：思辯哲學家所享受的思辯的快樂，本身即是一種幻覺；這是因為：這種人只喜歡思考那些不切實際，或者酷好思考那些與存在界無關的理念界的東西。譬如：數學家、邏輯學家與系統哲學家……等，以及柏拉圖（Plato, 427～347B.C.）、笛卡兒（R.Descartes, 1596～1650）與黑格爾（Hegel, 1770～1831）這些哲學家……等，便被祁克果批評為一些喜歡思辯暨幻構的哲學家。

至於他們所建造的哲學理論，祁克果說，那都是與這個實際世界的改善，或改革毫無直接關係的虛構之物。甚且，他自己卻仍然活在一個純粹抽象的存有世界之中。比如說：柏拉圖一心想建立的理想國，這在祁克果看來，它根本就是一個虛幻；儘管這種的思辯哲學，也可以使他在幻覺中得到某種的快樂。

而，究竟什麼是眞正的快樂呢？祁克果說：一個人總要對他個人的存在極致，也就是個人生命永遠的福樂，逕作一種無限激情地關懷暨參與；這才算是眞實的，又高超的快樂。這就像中國人常講的：「人不爲己，天誅地滅」的一種道理。不過，它卻不是祇爲了自己而去占人家便宜；反而，是要爲自己未來的眞生命的歸向，逕作一個理想的盤算。

一般人總是認爲：我們活著，那是因爲我們自己擁有生命、智慧、才華與感情的能力……等。但其實，我們卻多忘了，我們之擁有這些東西，那都不是父母給的，也不是我們本身有能力而自己賦給自己的。從來源的角度而論，我們要說：它們全都是上天，或老天爺賜給你的；所以，它們隨時都可以被奪去。這也就是說，我們現在所擁有的一

切，都可能從我們身上隨時溜出去，或喪失掉。所以，祁克果指說：我們每個人都應該爲自己，而去追求眞正的幸福；就是要以無限的激情那種專屬個人的方式竭力去追求。

祁克果又曾這樣的說：基督（宗）教的精神，就是靈。這裡所謂的靈，便是指一種內向性；也就是說：一個人要對他自己的內心世界逕作關心。內向性，也是指主體性；主體性，就是實質上的激情。一個人在他激情的極限點上，也便是在對他個人的永福，逕作一種無限地激情的參與。

總之，對一個平常人而言，我們似乎可以引《聖經》‧箴言第十七章裡的一句話來勸勉他：「**喜樂的心，乃是良藥；憂傷的靈，使骨枯乾。**」當一個人生活在逆境中的時候，祇要他能夠保持內心的沉靜和喜樂，他便能夠轉危爲安。再說，就算他擁有很多的錢財，以及超人的智慧，如果他依然每天憂心忡忡的；這樣，他那憂傷的心靈，鐵定會讓骨骸枯乾，耗盡他一整個的生命。

至於對一個教徒而言，我們則想鼓勵他，要他多接近祁克果的心靈。因爲，祁克果個人的心靈剖白，尤其對他自己永福的追求，誠然已爲我們一般人立下了一個很值得去

矚目的人生方向和奮鬥目標。

7. 所羅門王

所羅門王在《聖經》・傳道書的第二章裡曾這麼說：「我心裡說，來吧，我以喜樂試試你，你好享福。誰知道，這也是虛空。我指嬉笑說，這是狂妄。論喜樂說，有何功效呢？我心裡察究，如何用酒使我肉體舒暢，我心卻仍以智慧引導我……。我爲自己動大工程，建造房屋，栽種葡萄園。修造園囿，在其中栽種各樣果木樹。挖造水池，用以澆灌嫩小的樹木。我買了僕婢，也有生在家中的僕婢。又有許多羊群、牛群，勝過以往在耶路撒冷眾人所有的。我又爲自己積蓄金銀，和君王的財寶，並各省的財寶。又得歌唱的男女，和世人所喜愛的物，並許多的嬪妃。這樣，我就日見昌盛，勝過以往在耶路撒冷的眾人。我的智慧仍然存留。」

又說：「凡我眼所求的，我沒有留下不給他的。我心所樂的，我沒有禁止不享受的；因我的心爲我一切所勞碌的快樂。這就是我從一切勞碌中所得的分。後來，我察看

我手所經營的一切事，和我勞碌所成的功。誰知都是虛空，都是捕風，在日光之下毫無益處。」

誠然，我們所提到的這位古代猶太人的聖君——所羅門王，他在執政期間，可擁有許許多多的珍奇寶物；不過，經由他個人對自己內在生命徹底的反省之後，他卻驀然發現：人在日光之下所做的一切努力，實質上卻都沒有益處，都是一種勞碌、捕風。所以，他接著就用很富哲理化的筆觸，這樣表白著：「虛空的虛空，虛空的虛空，凡事都是虛空。人一切的勞碌，有什麼益處呢？就是他在日光之下的勞碌，有什麼益處呢？……我傳道者在耶路撒冷作過以色列的王。我專心用智慧尋求察究天下所做的一切事，乃知神叫世人所經練的，是極重的勞苦。我見日光之下所做的一切事，都是虛空，都是捕風。」

的確，這是一種悲情；而這種的說法，也相當的悲觀。「人莫強如吃、喝，且在勞碌中享福，我看這也是出於神的手。論到吃用享福，誰能勝過我呢？神喜悅誰，就給誰智慧知識。唯有罪人，神使他勞苦，叫他將所收聚的，歸給神所喜悅的人；這也是虛

空，也是捕風。」他又說道。

所羅門王原先擁有了一切，而到了最後，卻否定一切、批判一切；這是爲了什麼呢？想必，是因爲：天下人間的任何事情，任何的喜樂、痛苦與追求，都有它們本身的定時或定期。這是萬有存在的有限性之主因。祇是，身爲萬物的一份子，你、我這偌小的身軀暨生命，卻也同其它的生物、個體，都受到這種定命的限制。因而，人在同受限制的有限（事）物中所追求到的，以及從它所獲得的快樂，就都是短暫的快樂，而不是眞正的快樂。

這是所羅門對存在人生的洞察。不過，我們可不要忘了，他也提醒自己和一些年輕人，說：「少年人哪，你在幼年時當快樂。在幼年的日子，使你的心歡暢，行你心所願行的，看你眼所愛看的，卻要知道：爲這一切的事，神必審問你。」又說：「你當從心中除掉愁煩，從肉體克去邪惡。」「總意就是敬畏神，謹守他的誡命。（因為）這是人所當盡的本分。」（傳十一：9～10；十二：13）

以上，是談到各種宗教與思想家們對享樂（主義）的看法；接著，就讓我們來談談醫學、哲學與宗教（神學）界對死亡的看法。最後，才呈示一些重要的哲學家或思想人物的論點，好讓我們一起去分享他們對生、死的見解。

第2章 從醫學、哲學（佛學）與神學觀點談死亡

死亡，是一個很嚴肅的問題。不論在古代或現代，東方或西方，有關哲學的、科學的、醫學的，以及宗教的各個領域，可以說，都一直在關懷人的生與死；特別是關切一個生物個體的「死亡」問題。

關於死亡這個嚴肅的話題，以下，我們將分別由醫學、哲學（佛學），以及宗教（神學）等方面探討起。

一、從醫學的角度論死亡

1.腦死

在醫學方面，對於死亡，迄今有很多種不同的界定。傳統上，一般認爲，假如一個人氣息停止、手腳冰冷僵硬、喪失知覺能力、沒有意識活動且無法行動，便會被判定爲死亡。

後來，有醫學家認爲，死亡應該由心臟活動之停止的現象來斷定。因爲，心臟是一個輸送血液到各個器官、各個細胞裡頭去的幫浦；心臟的活動一旦停頓，人體的有機活動也就隨之停止，人就什麼都不能做了。這種說法，也算是傳統醫學界定死亡的方式之一。

在近幾十年來，國內、外的醫學界，已逐漸接受「腦死」這個概念來界定死亡。他們認爲：當人的腦部無法像正常情況一般地來運作，這是指，人的腦部活動一旦失去了自主意識，對外界的刺激全部沒有反應；那麼，就算他的軀體是溫暖的，我們依然可用「腦死」來判定他是死亡的。

所謂腦死的現象，多半是發生在車禍、墜樓，或遭受重物撞及腦部，而對腦部造成嚴重傷害的意外之中；像這類的情況，在現今這個交通頻繁、人際摩擦頻仍、生活緊張且壓力遽增的社會裡，要發生這樣的事件的頻率，可說是較以往增加了不少。

而談到幾近是腦死者的植物人，一般而言，我們往往對之也是無能爲力的。因爲若

要來醫治他，則勢必要付出許多的醫療資源，以及社會成本。因此，在某些地方，有些醫生便會在顧及醫學專業、道德規範，以及病患家屬的經濟能力下，而另外尋求方法，或試圖以減輕病人本身的痛苦，而宣佈病人的腦死，以照顧到病人家屬的負擔。

儘管腦死、植物人……等這類事件的鑑定，是有它們必要的醫學程序；不過，據我們所知，目前醫學界對腦死的解釋，仍是具有爭議性的。原因是，如果某人已是一個腦死的病患，像這樣的例子，雖然在醫學上將判斷其已無行爲能力與議事能力；但是，我們仍可感覺，他並沒有如同其他已死了的人一般，會手腳冰冷、軀體僵硬，所以，人們是不容易去接受「他是一個死人」這個結果的。於是，就陷入了認知暨抉擇上的兩難。

畢竟，如果要好好的來照顧他，那麼，隨之而來的，便是大量的時間、精力與金錢的付出，以及遙遙無期的渺茫希望。這自然會造成病患家屬不論在金錢上、身體上，以及心理上極大的痛苦與負擔；它的折磨人、煎熬人，委實是難以形容，若非身歷其境的人，實在是無法想像。

2. 安樂死

也有另外一種的聲音，那便是實行所謂安樂死的問題。這是指，施打某種藥物，或者將已無救活之希望的病患的維生系統拔除，而使其儘早結束生命。這實行安樂死的問題，在現今的世界各地，一直有不少的爭議。

傳聞，在美國有某一州的醫師，甚至發明了自殺機器，去幫助病人了結生命。就此，有人不禁要問：這究竟該算是一種善意的幫助？抑或是一種變相的謀殺呢？看來，這實在是一個頗爲複雜的問題。

由此看來，我們應該不能單單只從醫學的角度，來處理所謂腦死、植物人和安樂死……等這一類的問題。因爲，它們牽涉範圍之廣，可以說，已經涵蓋到社會、輿論、道德倫理、人性尊嚴，甚至宗教與神學等各種領域。

「腦死」的界說，現今雖然是逐漸被醫學界的人士所接受；不過，據我們所知，在其它的領域，有如：某些倫理學家、神學家，或宗教家，他們仍會有一些異見。而關於

這一類的問題，筆者的淺見，是：死亡當是以這個病人的軀體之不能自己行動，沒有了知覺，沒有了意識，也沒有各種情感的表現，並且心臟也已停止來判定。至於病人若是有腦死的情形，在我們看來，處於這樣的狀態的病人，仍然算是一個活著的人。所以，我們似乎並沒有權利去進行安樂死的工作，以結束他的生命。

因爲，在腦死者或植物人這個判定上，也存在若干的獨特案例；那就是：有人在昏迷不省人事十幾、二十年之後，突然就清醒了過來。既然有這些出人意表的狀況發生，這就凸顯了安樂死是相當站不住腳的。因此，筆者是頗難以接受「腦死」即是「一個活人的死」的判定。但是，萬一自己的至親好友遭遇到腦死的狀況，這該怎麼辦呢？這時，想必無奈的我，也祇能夠說：儘量不要放棄他，要救治他；而在某些時候，我們則只能夠祈禱上蒼憐憫和聽天由命了。

二、從哲學的角度論死亡

先前，我們已提到死亡是一個既嚴肅，而又值得探討的課題；我們除了已從醫學的觀點來研討之外，接著，則想從哲學的價值角度，來看待死亡這個現象。

1.死亡現象

從古到今，有關宇宙與人生的眞相之探究，幾乎可以說是東、西方的思想家和哲學家，孜孜不倦於想像和論證的核心主題。而有關於人的生與死這類的問題；其中，特別是人的死亡，尤其受到哲學思想家們的注意。

死亡究竟是什麼？死亡的意義何在？死亡的現象包含了哪些？死亡對於一個還活著的人，或對於一個活著的生命而言，可存在著什麼樣的意涵？又，死亡是屬於人的一部分呢？或是指涉著人生之外的另一個世界？還是作爲人生之中可供選擇的一種可能性？

諸如這許多多的問題，當是包括我們和不少哲學家在內的人們之不停息地討論著的人生大事件。

我們知道，當死亡來臨之時，你只有自己去承受，而不可能有任何一個人眞能夠代替你去接受死亡。所以，人之生除了要你自己生活（to live your life）之外，而且也要你自己去死（to die your death）；自古以來，這是從來沒有一個人能夠逃避的事實。

那麼，死亡到底對我們自己的生命，究竟已產生了怎樣的影響呢？從古代中國的孔子、老子和莊子，印度的釋迦牟尼，中東的猶太暨基督（宗）教的摩西和耶穌，希臘的蘇格拉底和柏拉圖，一直到當代西洋著名的哲學家，像祁克果、海德格等人，都曾對人的死亡這個問題，提出相當精闢的見解。

當我們將死亡的問題放到哲學的領域來討論時，我們可以先來看看中國古諺的說法：「**死生由命，富貴在天**」。這是表示：死亡與生存，其實並不是我們的自由意志所能控制，而是由天、命來決定的。每一個人都有生，同樣的，每一個人也都有死；祇

是，生與死的性質卻大不相同。生，是人可以看得到，可以感覺得到的；死，人卻毫無辦法。當你經歷到死亡的時候，「你」事實上是已經不存在了；所以說，死亡是我們沒辦法去體驗的。

可是，對所謂的死亡現象，我們卻是可以經由目睹別人的死亡而來觀察：死亡究竟有哪些特徵、症狀？從瀕臨死亡到眞正死亡，這中間會是一個怎樣的過程？例如：罹患癌症末期的病人，在臨終之前，他身體上的病痛，多半是十分痛苦的。所謂輾轉床榻，稍微一個小動作，都會讓人疼痛不堪；因此，有人便用「生不如死」來形容這種景況。甚至有人會說，與其這樣拖著和痛苦，而在等待死亡中，又要承受那種莫名的恐懼與折磨，不如就快快地解脫算了；一旦進入死亡的瞬間，那麼，在一、兩秒鐘以後，應該就什麼感覺都沒有了。

對於每個人都會死這樣的情形，在哲學上來講，或者是從宗教的觀點來說，它們要不是指出：死亡是一種的可能性；不然，就是表明：死亡是進入另一個可能的世界的門檻。這兩種說法，似乎是對立的。前者即認爲：死亡是我這個個體，之存在著許許多多

可能性當中的一種。這個可能性，是我揮也揮不去的；想要不去理睬它，故意將它忘記，卻也是不可能。就算你說你一再忘記自己會死，以爲自己不會死，而不去關心死亡的問題；這樣，一天過一天，到了有一天，你的死亡，還是會來到你的面前的。

人的死，是有各式各樣的方式：有病死的、橫死的、車禍而死的，以及因天災人禍而死。說眞的，這都不是我們的自由意志，或我們自己的心願所能夠決定的；你並無法決定自己下一刻要不要到另一個（死亡的）世界。

2.死亡預測

一般人的人生觀，總是建立在一種不正確的死亡認識上：他會說，我不是活得好好的嗎？如果突然必須面對自己死亡的問題，這怎能是一種人生呢？根本不合常理嘛！所以，他或你總會說：你還年輕，還有美好的前程，還沒結婚，還沒享受到人生；而且，還有好多、好多的事要等待你去做呢！你認爲：死亡只會跟那些七老八十，看過、又經歷過漫長人生的老人打交道。那你便錯了，這只是你一廂情願的想像罷了。

死亡，確實不是如你所常想的那個樣子；它確實是與人們形影不離的「一個東西」呢！想起來難道不教人駭怕嗎？可是，我們爲什麼會害怕死亡？

第一，人大多是貪生怕死的，一想到自己會死亡，難免會害怕；第二，死亡是一個不可知的、不可預測的，以及一個不知人死後會變成怎麼樣的過程；第三，人死之後，可不知要到哪裡去？會不會到那恐怖的地獄、陰間裡去？不然，如果在死亡之後，還有一個歸向的話，那麼，人會歸往何處呢？現在，我是居處在這個時間、這個空間中，以及這一個點上，一旦我死了，失去了意識，我該會到哪個世界去？

因爲，在活著的時候，我們經常經驗著憂懼，經歷過怖慄，也感受到死亡的威脅；因此，很難以想像，如果現在面臨一旦死亡，我將如何自處或去面對呢？說實在的，由於我們對於死亡之後的世界全無所知，所以，才會感到恐懼駭怖；既不願去想，也不願意去談。其實，這就是一種駝鳥心態。

哲學家們多是很理性的，在他們之中，有人每天甚至把自己的死亡放在眼前，也放

在意識之中；而且不斷地去關懷、思考和想像，並決定如何能夠去改變它，好幫助別人去變更他經常懷有的恐懼的心理。因爲，在他們看來，對於死亡，人與其避而不談，不如鼓起勇氣去正視它、思考它，俾能將它也納入自己當下選擇一切行動的考慮範圍。

譬如，有人可能每天要通勤上課，你也是這樣。當你趕著要回家，你是選擇搭車呢？還是藉由其它的方法？這時，如果你能把死亡考慮進去，那麼，你大概會認定，走路回家也許是比較安全的了。如果只是爲了趕時間，在馬路上飛車行駛，那眞是一項危險的舉動呢！因此，你應該會比以往更謹愼地做考慮了吧！在經過十字路口時，你會停、看、聽，一路上小心翼翼的。

所以，哲學家對於一般人的思考，做了一番很學術性的討論，而結論就是：要將死亡納入你當下的意識活動中，這是你選擇下一步要怎麼走的一個先決要件。這樣，你做出的一切的決定，勢必就將會比較周延和妥適些。

但是，很可惜地，現今一般的年輕人，多不會考慮到這一點。大家精力充沛，青春

洋溢，充滿自信；企圖心、野心，也都十分旺盛。而且，更可以說是雄心萬丈。他總會覺得：還有好多的理想如果沒去達成，那才是對不起自己似的。他的人生，顯然像是沒有時限的；有的只是打拼，再打拼，而滿懷衝撞的精神和鬥志；不過，卻是把死亡（尤其，自己隨時可能會死）的問題拋諸九霄雲外，根本不願去理會。

三、從宗教的角度論死亡

1. 認識生命

我們知道，宗教家（如：牧師、傳道、法師……等）是最關心人死亡的問題的。他不但關懷生者，甚至在某個人行將就木之時，往往是作爲一個最後陪伴著他走向死亡的人。而這，就是宗教（家）之關心人與慰藉人的最大的寫照。

如先前所述，我們時下的年輕人，多一廂情願地自認爲：自己有著大好的青春時光和美麗的未來憧憬。在此，筆者可要特別提醒這些年輕人：你們應該趁著自己還年輕的時候，好好去尋覓一個眞正屬於你自己的人生歸宿，眞心地去尋找一個隸屬你自己精神上的寄託。

那是一種能夠使你們眞正「安身立命」的東西，也就是一般人所謂的長生之道、永

生之道、生命之道，或眞正的幸福之道。

談到幸福，這個東西在現世中是存在著弔詭，又難尋的。因爲，我們經常會遭遇流淚、流汗、掙扎、罪愆和死亡；可是，最後卻不知道幸福究竟是在現世中的哪裡。

我們且來看看「幸福」這個字語「happiness」。當我們把「ness」去掉時，就變成了「happy」，也就是快樂。快樂，其實祇是一種瞬間的感受；我們不太可能一直不間斷地處在快樂的精神情態中。人在小時候，總是天眞無邪的；不過，隨著年齡的增長，他的煩惱也就越來越多。特別是，在成長的過程中，人總是經常承受著各式各樣的壓力，像：升學的壓力、經濟上的壓力、結婚的壓力……等。可以說，人多是在壓力中成長的。如果沒有壓力，人就難以成長；沒有了壓力，我們就沒有充分的刺激，以督促我們努力向前。

說實在，如果有一個人，從小到大都是平步青雲、十分順利的話；那麼，這種人的個性，可能就會像溫室中的花朵一般，很禁不起一點風吹雨打，也無法承受一個小小的

挫折。當他一旦面臨到問題時，由於沒有克服困境的能力；所以，他就只會選擇逃避。時下有許多年輕人自殺的例子，便多是因爲這個緣故。

當然，像這些自殺的個例，也會有其它的一些因素，譬如像：個性的問題、家庭的問題等。因爲，得不到父母親足夠的關愛，或是遭遇到社會上人際的冷漠，或是被朋友出賣……等，都有可能導致一個人走上極端。這樣的人，經常都認爲：死亡即可以解決所有無法解決的問題。

其實，「死亡」是必須加以嚴肅來看待的。死亡或尋死，也不見得能夠解決人世間所有的問題。

2. 認識死亡

從宗教哲學的觀點來看，死亡似乎具有非常玄秘的特性。最近，科學愈來愈發達，而國內、外的醫學界，也不斷地推出新的治療方法與藥物，企圖延長人類的壽命。就如：在從前許多會致人於死的疾病，現在，只要對染上那種病症的人打上一針，似乎就

可以教他立時的痊癒。

宗教哲學家思考死亡，並且思考存在；有的，甚至將死亡放在人存在的設計中一併來思考。

再者，宗教家，或宗教哲學家也想要知道人死後的世界，並且更想去知道：我們在死後究竟會往哪裡去？

其實，他們所要知道的，無非是想了解：什麼是死亡的意義？的確，人是不可能光靠去經驗死亡這樣的一種方式，來體會死亡的意義；因爲，死亡是看不到的。當你在經驗它時，你就已經在死亡中了。

因此，若要認識死亡，我們就必須將死亡這樣的一種「可能性」，依附在個體生命的存在這一實體上。

也就是先去思考人類生命，這存在的實體；然後，再進一步去探討所依附於其上的死亡的性質。因爲，就一般而言，物理性的東西才會具有性質，而死亡並不是物理性的

東西：所以，我們一定要將它依附在一個個別的事物上來探討。這個事物，當是具有生命的，就像：植物、動物、人類……等。我們依據這些植物的死、動物的死，或人的死……等種種現象的發生，就可以嘗試去分析死亡的「性質」。想必，這就是哲學家，尤其是宗教哲學家，唯一所能夠做的事。

在對死亡的詮析上，死亡乃象徵著空無，存在則是存有（being）；因而，我們這些存活的人類，就可叫做：人的存在（human being）。如果某生物的死亡是指它已不存在；那麼，對於它的不存在，我們可以稱它做：非存有（non-being）。之所以要用非存有來形容死亡，應是由於：某物在死亡之前擁有「存有」（being）的特性，但現在卻是叫做「一無所有」（nothing）；這即是對「存有」的一種否定。

活著就是在，死亡就是不在。所以，某物的死亡或存在，就必須依附於他（牠、它）在活著的時候來理解。而對我們人類來說，一個人若在這裡，他就是存在；要是他不在這裡，也不在世界任何一個角落，那麼，他就是死了。

其實，在人的存有（human being）之前，既然他還沒存在於世，就可稱他做：尚未存有（being not yet）。至於人的死亡，也就是他的生命大限臨到他身上之時，這就叫：死。因爲，一切活動停止了；一切的意欲、意志、企圖和行動全都中止了。人一旦死亡，他的形體便將逐漸腐化；而時間一久，也就會變成粉末，隨風而去，那就什麼都沒有了。

這種狀態，哲學家則稱它爲：不再存有（being no more），就是不再存有於世間的意思。

這是一般的哲學家很中性地分析人存在或不存在的狀況；所以，是最眞實、且最寶貴的感受。因此，我們在生命的領域中的整個人生，便叫做：人生（human life）；人一切的喜、怒、哀、樂，七情六慾、理想、可能性的設計，以及對未來的規劃等，都必須在人生這段時光裡，經過努力、奮鬥才能得到，或逐步的實現。

3. 篤信來世

不過，如果從宗教神（佛）學的觀點，人的前生和來世，卻不是一片的空無。以基督（宗）教而言，人的創造，應早就存在於他的造物主神——耶和華，這位永生神的心靈、思想或觀念裡。而他的死亡，則有兩個去處：一個是，義人將進去的天國；另一個則是，惡人墮落的地獄。這兩個地方，分別是人的永恆靈魂（按：人死後唯一存在的東西）的歸鄉。

至於佛教，則談到人有三世，即前世、今世與來世的永恆的輪迴。人在死亡以後所存在的，則是他的「識」，而非靈魂。因爲（原始）佛教的教義，並不認定有靈魂、神我或宇宙至高眞神的存在。

第3章 希臘人的生死智慧

現在，來看看古希臘哲學家對死亡的看法。首先，要談的是：蘇格拉底；其次，才是柏拉圖。

一、蘇格拉底

1. 認識你自己

對於人的存在，蘇格拉底曾主張：一個活著的人，他存在的目的，就是要不斷地去瞭解自己。

同時，就在瞭解自己的過程中，他則發現他自己是無知的；因而，也由此去教導他那時的雅典市民。承認自己的無知，就是蘇格拉底爲人類留下的重要教訓之一。

但是，也許有人想問：爲什麼人是無知的呢？實情就是：一般人總認爲他自己就能瞭解外在的一切事物。有如：他對神性世界能夠有所瞭解，而就算什麼是永恆？他也不

是不知道。不過，就此，蘇格拉底卻想問道：人眞的能夠瞭前面的這兩個問題嗎？

其實，有關永恆的問題，這在古希臘的神話裡，就已經有所觸及，而且在該神話中，也認爲人是具有神性的。因爲，他是活在永恆世界裡的。蘇格拉底雖然和當時一般的雅典人一樣，也相信有所謂的神明世界；不過，談到對於神性和永恆問題的理解，他卻很自謙地表示：他一無所知。這也就是說，他自認爲自己是無知的。因此，更加地認定：人唯有透過承認自己是無知的這個途徑，他才有可能進一層地去認識眞理。

蘇格拉底雕像

蘇格拉底曾教導學生，乃至時人，要自己去尋找眞理；至於眞理是什呢？他本人並沒有明確的交代。不過，他卻是喜歡用對話、聊天的方式，在雅典街頭與路人談論問題。希望藉此以幫助人們去除心中的偏見，因而達到眞正的知識境界。這就是蘇格拉底的對話法；他認爲唯有藉著這種方法，才可以幫助人們去認識眞理。

而關於人的理性，根據祁克果對蘇格拉底的思想的詮釋，他說道：蘇格拉底在生前曾經表示，他對自己的理性活動本身，乃是一無所知的。雖然他明明知道人擁有「理性」這樣的能力，但是，這種理性能力的本質爲何？他卻是一無所知。因此，祁克果認定：蘇格拉底是偉大的；因爲，他知道「自己是無知的」，而且也擁有這樣的一種知識。

這也就是說，蘇格拉底的偉大，是在於他能夠確實分辨出：在知識的對象上，究竟有哪些是他所知道的？有哪些是他所不知道的？或者說：有哪些東西是他所能理解的？另有哪些東西是他所不能理解的？

說來這個問題，表面上看起來是很簡單，實際上卻沒有那麼容易。通常，我們一般人都會「不知而強以爲知」；至於所謂已知道的部分，其實，往往也僅是一知半解。畢竟，對於自己的存在、人生，我們可不能夠像那樣子在打迷糊仗。蘇格拉底曾教導我們，知道就說是知道，不知道就說是不知道。而針對我們所不知道的事物或知識，我們

唯一要做的工作，便是努力去學習眞知，而不是「強以爲知」。

所以，由此看來，人的求知過程，事實上就是一種從「零」到「一」，或者是由「無知」到「有知」的漸進過程。一個懂得多的人，他的認知百分比就會多一點；而懂得少的人，當然，他的認知百分比自然就會少一點。

2. 神明觀

論到永恆與神明的問題，蘇格拉底一向認定：人一死後，即會進入到一個永恆的世界裡。但是，爲什麼會有這樣一個永恆的世界呢？顯然，他並不知道。換句話說，他相信是有那樣的永恆世界的存在；而這，就是他的信念。

在他看來，有關神性世界的存在，是人無法用理性來證明的；人也沒有辦法實地去親身經驗。他唯一所能夠做的，就是在信念上的一種執著；亦即去相信：在遙遠的未來，係有一個美善的幸福世界在等待著他。因此，在和現世界的苦難相較之下，現世界的點點滴滴，便都顯得微不足道。

我們曉得，蘇格拉底在當時曾被雅典的民主法庭誣告而判處死刑，但他卻能夠從容赴死，並不畏懼死亡。想必，就是因爲有上述這種信仰而給予了他面對死亡的勇氣。

在西元前七、八世紀的希臘社會，是相當重視神話的信仰的。在這個時期，希臘神話表達了一種多神的信仰；譬如說：它凸顯了對宙斯主神、太陽神阿波羅、愛神邱比特，以及雅典娜女神……等的崇拜。而在蘇格拉底的時代，他並沒有否定這一個宗教傳統。祇不過是，他認爲：在衆神明中應有一位更偉大的「神」，而他可要比宙斯還偉大。至於那位神，其實人是不知其名的。

說「神」是人不知其名的，這是蘇格拉底對無知的運用的結果。因爲，他總認定：他對許多的事物乃是一無所知。就算對於一般人所相信的神明，他也同樣認爲自己是一無所知的。

主因是，在他看來，人如果能瞭解神的世界、神的本性，以及神的名字，這應都是出自於神的告示。因爲，假如神眞眷祐了世人，他就會啓示他自己而讓人們知道。不

過，如果神並沒有對我們這些世人喻示他自己，我們如何能夠知道他呢？假如他並不啓示，我們反而能夠認識他，那他就成爲世人的創造物——人造神了。例如：我國民間的信仰，就多是一種人造神的宗教信仰。尤其在道教的信仰裡，它就擁有很多的人造神明；像：三太子、玉皇大帝，以及媽祖……等各種神明，就都是國人所杜造和設想出來的產物。

3.輪迴思想

由於神明界是一種永恆的存在界，並且在神（明）的鑑察下，人類總是無知的一群；因此，深切瞭解這種情形的蘇格拉底，便不敢踰越自己的本分。在他認爲，身爲一個世俗人，他怎可能完全瞭解神明界的一切呢？所以，人都要去敬拜神（明）。

在蘇格拉底那時代的人，可說是多相信民間的輪迴信仰。而這種輪迴信仰，在古希應可說是相當的流行。在此，有人可能會問：古希臘人爲什麼會有這種信仰呢？據筆者個人的淺見，這應該可以往前追溯到古波斯（即：現今的伊朗；在波斯帝國之前有巴比

倫，巴比倫之前則是亞述）；甚至，可上推到更早的亞利安民族的泛神論的宗教世界觀。

古波斯民族相信有輪迴思想，而古印度和古代中國的老、莊思想，也帶有輪迴的色彩。祇是，中國老、莊的輪迴主張，並不與古印度、古希臘人的輪迴思想相同；老、莊講的是自然事物本身的循環。譬如，老子就說到：「**反者，道之動。**」（道德經・四十章）；反就是對立、相反，或歸返。由於道包含有兩個側面，一是對立，另一是歸返（return），也就是具有循環的蘊意。所以，老子堅信：大自然界本身，當有如日夜不斷的輪替，而在作循環不止的變化。至於莊子，則詮釋出：人的生命，因爲有自然的生，自然的死；所以，人的生、死乃不斷的輪迴，生命本身即在作不斷的轉化。

至於蘇格拉底，他本人所相信的輪迴說，則是：一個人只要行事正直守法，那麼，在他死後，他的靈魂就能夠回到前世靈魂所居住的永恆世界裡。

4. 死亡觀

談到死亡，蘇格拉底本人是不怕死的。死，對他根本產生不了恐嚇作用；這是我們從歷史上看到古希臘偉大的智者——蘇格拉底之對死亡的態度。

當代西洋的思想界有一位哲學家雅斯培，曾在他自撰的《偉大的哲學家》（The Great Philosophers）一書中提到蘇格拉底對死亡的看法。他說：蘇格拉底在七十歲時平靜而死；雖然他是被強迫服毒而亡，但是，他卻絲毫沒有什麼恐懼之感。因爲，他知道自己是死得其所；所以，心中一直非常的平靜。他飲下了毒酒，確實是接受了平靜、淡薄的死，而並無殉道的激情。

雅斯培接著指出：如果蘇格拉底沒有這樣死的話，在人類的歷史上，可能就沒有一個會震動人心的蘇格拉底。而且，他的門徒柏拉圖，可能也沒有機會讓蘇格拉底的偉大，去重造他們的心靈，並且能在往後無數的日子裡去對他緬懷追念。

我們知道，在人類史上有兩位是因著死亡而名垂千古的人；一位是蘇格拉底，另一位就是耶穌基督。這兩個人，其實都是爲了服膺眞理、效法眞理，以及宣揚眞理，終而被世人判處極刑，硬將他們剔除在這個世界之外。就因爲他們勇於接受死亡的挑戰，而

且他們經歷死亡的過程竟是如此地充滿神聖性，世人總會永遠記得這兩位聖哲的。

雅斯培認爲，不同於猶太暨基督（宗）教的教主兼救世主——耶穌的死，蘇格拉底的死，則反映出了一種漠視死亡的平靜與安詳的心靈。可是，耶穌就有太多的激情。像在新約《聖經》裡的記載，則提到耶穌在被處死之前，曾禱告到淚流滿面；他希望天父能將苦杯、苦刑撤掉。不過，最後耶穌仍然是遵照他天父的意思而行：神並沒有因此答應，使他能免於十字架的苦刑；反而，要他以死殉來替全人類贖罪。由此可見，耶穌的心情是相當激越的。他面容憔悴、痛苦，先前所提到的《聖經》，就曾記載他：「**汗滴如血**」，這就是一個明證。

爲什麼蘇格拉底的死亡竟是如此平靜，而耶穌的死亡卻是如此的椎心之痛呢？雅斯培說，他們兩者的差異，主要是在於：蘇格拉底的格局乃十分的有限。這是指說，當他在面臨死亡時所承受的壓力，頂多是背負著雅典、希臘世界的包袱；而耶穌在面對死亡時所承受的壓力，卻是整個人類的命運及其靈魂的救贖。所以，無怪乎，當代西洋的宗教暨存在哲學家——祁克果要說：蘇格拉底是要來譴控世界，不是要拯救世界；而耶

穌，才是要來拯救世界的。

由於全人類虧負了眞神的榮耀而有罪，所以，耶穌的降世和擔罪，便背負著拯救全人類的重責大任。因此，當他面對死亡時，他就必須斷然做一個很深沉的選擇：唯有藉著自己的死，才能夠替全人類贖罪。如果他不勇於赴死，人類的罪孽，就永遠無法得救。爲此，單單爲此，他便很謙抑地承受了一切，並且能忍受痛苦至死。

根據史書的記載，當蘇格拉底臨終之前，有一個名克里多的學生去看他；這時，蘇格拉底就說：「**克里多啊！我要走了，但我還欠醫神一隻雞，忘了還願；現在沒機會還了。拜託你幫我宰殺一隻雞去還願。**」然後他眼一閉，腿一伸，就死了。在蘇格拉底死後，他這名學生就曾說道：在他的那個時代中，蘇格拉底是最偉大的，又最有智慧的人。

我們知道，蘇格拉底是平平靜靜地離世而去，他的死曾使千古以來，不只是西方人，甚至連東方的人，都在推崇他人格的偉大。爲此，有人就尊稱他爲：西方的孔子。

孔子是我國古代一位人道主義者、道德思想家、教育家暨社會改革家；蘇格拉底也是一樣。他教導每個人要竭力去認識自己，瞭解自己內心的世界，以及明瞭自己人生的歸向。這也就是說，他一再呼籲每個人都要走向他自己，不要離開他自己。

由於蘇格拉底提醒時人，不要作一個受「他人導向的」（the other-directedness）庸俗之輩，反而，要眞正的瞭解自己，以及能對自己未來的幸福及早作規劃；想必，這都與蘇格拉底自年少時即不時有聽到天籟之聲的經驗，有它密切的關係。這天籟之聲，曾不斷教示他說：你不能做壞事！

有人卻說，這是蘇格拉底自己的良心之聲。

有史書這樣記載道：當蘇格拉底接受服毒死殉之前，這種天籟之聲卻沒有適時出現。因此，看來它好像是以靜默不語，默認他要去接受死刑的判決。誠然，蘇格拉底是因著他的死，而造就了千古的功業。雖然他沒有偉大的作品流傳於世，不過，他的人格、思想、精神，以及不朽的人性理念，卻已保存在他學生柏拉圖的作品中，而且歷久彌新。

二、柏拉圖

1. 理想與現實

當代英國的科學哲學家懷德海（A. N. Whitehead, 1861～1947）曾經說過：「**西方兩千年來的哲學，都在替柏拉圖哲學做註解。**」

懷德海

柏拉圖爲什麼有那麼多的作品，會讓後世之人不斷地研究他、讚揚他，並且爲他的作品做註解呢？這是因爲，他繼承了乃師蘇格拉底的哲學精神；也就是要認識（你）自己，相信永恆，追求靈魂不朽，篤信輪迴，超越形下的世界，以及要履行人生正義的暨負責任的行動。

柏拉圖曾說他年輕時很喜愛幻想，而蘇格拉底卻

說，如果你要認識世界，就先要認識自己。一個人如果不想認識自己而祇想去認識世界，這根本是本末倒置；所學到的也僅是表面的東西，知道了也等於並不知道。

舉個例子來說，我們說：「這是一棵樹，不是一朵花。」；但是，我們怎麼知道它是樹而不是花呢？是樹或不是樹，這又有什麼區別呢？如果一直這麼問下去，我們眞不知該如何的區辨；最後，只曉得這是別人教導我們的，或者是由其它地方學來的。不過，我們所學來的或聽來的，有時候難免會有錯誤；因爲，那些資訊很可能也是謠言，或者偏見。

在這種情形之下，我們又要如何選擇呢？是或不是，又該如何的區別呢？到了最後，通常任何人都會被問得啞口無言。所以，蘇格拉底乾脆以承認自己是無知的方式，以作爲追求眞理知識的心理基礎。

柏拉圖因爲受到蘇格拉底的感召，也想要去瞭解心靈世界；但是，他要怎麼開始呢？於是，他想到神話傳統，想到先哲的偉大，便以迴向自己內心的方式，也就是以想

像的方法，捫心自問，並且整天逕作冥思；結果，偉大的作品因此就產生了。理想國、烏托邦、政治、藝術、美學、法律、國家理論、自然科學、知識論，以及形上學理論……等，都是這樣得來的。這些東西，其實，在這個世界中是找不到的。

柏拉伯（左）和亞里斯多德

柏拉圖透過「追憶即是知識」這個原則，而洋洋灑灑寫了一大堆；後來的哲學家經由分析，則指出：柏拉圖的哲學理論，總體來說，就是建立在一個龐大的思辯體系之上。這是一大套用心思構想出來的抽象系統暨學說。爲此，有批評家這樣說道：這個抽象系統暨學說，有什麼用呢？它似乎只能產生一大堆的著作而已；實際上並不能眞正地改善，或幫助人們對現世界和自己存在情境的瞭解。

針對柏拉圖這樣的觀點，在後來的西洋思想界，尤其宗教界和人文社會思想界，則有一些人在繼續闡揚；不過，也仍然有不少的人，一直在批判它的蹈虛與空泛。

2.死亡觀

談到柏拉圖對死亡的看法，我們可以這樣說：他和蘇格拉底一樣，相信人在死後，人當能夠進入到一個永恆的世界。而談到這個永恆世界之與現世人的關係，柏拉圖則在他的哲學理論中這樣說道：理想的烏托邦，是一個擁有眞、善、美、聖的世界。人世間的一切，即是分享著眞、善、美、聖的某種特性；譬如說，有的人秉持得多，有人卻秉持得少。

柏拉圖稱這種分享或秉持，即是：「分受」。這也就是說，上天分受你多一點的美德，你就會比較具有美德；分受給你形貌漂亮一點，你就會比較漂亮。既然每個人都接受了這種分受，而且當中還有等級之別，世上的萬物也是一樣；所以，人生活在世，就是要去追求那個純全的眞、善、美、聖的世界。且由於世人所分受的結果總是參差不

齊，因此，他就必須靠思想，或思辯努力去追求。

據文獻記載，柏拉圖在晚年時，便經常在做冥思或禱告。想必，他是希望能夠回到永恆的天界去；也就是能夠脫離肉身慾情的羈絆，好回到永恆的、美善的世界去。在此，顯然他和蘇格拉底一樣，也同樣帶有一種異教徒的宗教信念，就是：活著的人，總要學習如何死去。這是表示：人一旦活著，就要去學習，並擁有如何死亡的智慧。

當然，他所說的學會如何面對死亡，或如何擁有眞正地死去的智慧，自是涵指：人不可自殺，或去殺人；反而，要人很有智慧地、莊嚴地去面對自己的死亡的來臨。

由於柏拉圖在晚年曾用禱告或冥思的方式，去追求所謂永恆的世界；據我們所知，他這樣的表現，可帶有某種宗教信徒的情懷。不過，有人似乎要問：柏拉圖所相信的神，究竟是怎樣的一位神呢？如果由現代人的眼光來看，我們則要說，他的這位神的性格，顯然並不明確。或者，只能說他是一種精神體、智慧體；或可稱他作：「善本身」這樣的存有。他是善的完美本身，而且擁有眞、善、美、聖這一切的美德。他並沒有位

格，不能賞善罰惡，也沒有審判的權柄；不過，卻可以這樣說：萬有都是來自於他，都是從他本身分受出去的存在。

由此可見，柏拉圖本人所持定的宗教觀，在今天看來，是模糊不清的。它並不像在它後來所出現的基督（宗）教，是有那樣明確的結構和組織；擁有教團（教會機制）、教徒、教規，以及教義等。當然，基督（宗）教也有它明確的過去和現在的發展史。而最重要的是，它還會告訴世人和教導世人應如何的追求重生，至終以致於得救。

雖然柏拉圖曾篤信：藉著禱告、默思，或冥想，人就可能到達永恆的理想世界；而且這種觀點，也點出了靈魂與肉體二元的對立。不過，他的這種看法，卻是受到畢氏定理的發明者——畢達哥拉斯（Pythagoras, 570~469B.C.）的影響。畢達哥拉斯相信：在這宇宙中，乃有善、惡兩股力量在較勁著，而人的身體和靈魂的結合，也是一樣。人活著的時候，就有兩種因素，即一是靈魂，另一是肉體，這兩者彼此一直在爭鬥不止。

柏拉圖因爲受到這種思想的影響，於是認定：人活著就是要努力護衛自己靈魂的需

畢達哥拉斯

求，而超越肉體的束縛。這也就是說，柏拉圖主張：當一個人的肉體欲求和靈魂發生爭執時，他就需要把自己肉身的欲望減到最低，好讓靈魂能夠來去自如。最後，則仍要以靈魂能回到它的前世（pre-existence），爲人生追求的最高指標。

三、與其他哲人的比較

類似柏拉圖這種的生死觀，中國先秦時代道家的莊子，也有他的看法：人總要將自己的欲望需求，排除在人的世界之外，好讓他的心靈或精神得以逍遙自在。這就是心齋、坐忘。又，莊子的這種修養身、心的工夫，可像極了古印度教的調息養神法：力行瑜珈（YOGA）和打坐。心齋，就是心理要齋戒，生活要檢點，而不能放肆；力行瑜珈，就是要放鬆肢體，專注於冥思和修行。

在這方面，猶太暨基督（宗）教，則講得頗爲嚴格。它說：人的言思、行爲，在將來都要受到宇宙眞神公義的審判。這是說，任何人的言行表現，也就是他自小到老的心思、行徑，將來在眞神的審判台前，都要一一招供出來。在那時候，凡是已信主的、好的、義的，便可以到永生的天國裡；而不信主的、不好的，或不義的，就必要到永死或永火的地獄裡去。當然，這裡還有一個插曲，就是：凡是自以爲義的、不信神者，根本

就沒有機會得救，更遑論他在世上眞能夠分辨出好壞、善惡。

至於孔子，他在這方面，卻只提及我們總要關心這個俗世世界；尤其，人應關切如何去成爲一個正人君子。所以，他提出了忠恕或仁者之道，也就是一種做人之道：要每個人好好去做一個人，並且以「君子」，乃至「聖人」（按：在平日的言行上，不犯貳過的人）爲他追求的最高標準。至於有關人死後的世界的事，顯然，他並不太關心。

說來，孔子的人生哲學，就是在教導世人：要在這個世界上好好的去生活；當然，他更應該去面對自己的修行。所以，孔子說道：「**德之不修，學之不講，聞義不能徙，不善不能改，是吾憂也。**」

孔子的一生，最擔憂的，則莫過於是：自己的德行沒有修好，該教導人的沒教好，以及該自己去學習的沒學好……。所以，他總是生活在憂愁自己或害怕自己會不長進的情境裡。

至於人死後的世界，又是如何呢？他則說道：「**朝聞道，夕死可矣。**」這也就是

指：在他看來，一個人在白天要是能夠知道如何作成一個能畏天命、畏大人、畏聖人之言的君子；那麼，即使到了傍晚他很快就要死了，這也沒什麼好掛懷的。

孔子因爲關心這個現實世界，所以，有話這樣說他：「**不語怪、力、亂、神**」；他並且曾以「**未知生，焉知死？**」的務實之言來自勵勵人。

總之，在孔子的心目中，一個人的工作使命，或存在的任務，就是：要好好地過一個人的生活，好好地修行自己、反省自己，好產生美好的德性；這就是他的人生唯一的目標。

第4章

基督教徒的生死智慧

一、諾亞（方舟）

1. 洪水滅世

在當代二十世紀《聖經》考古學的研究和發展上，之值得令人矚目的大事，是：美國一位業餘考古學家隆納德・韋特（Ronald E. Wyatt），曾分別完成了五大的考古發現。

分別是：在當今土耳其境內的亞拉臘山脈發現了諾亞方舟（按：舊約時代，距今約四千四百多年前）；在現今以色列境內，死海左岸，兩座被硫磺火石焚燬的古城：所多瑪、蛾摩拉；靠近沙烏地阿拉伯紅海下的古埃及法老軍隊的殘骸（按：距今約三千五百年前）；眞正西奈山的所在（按：在沙烏地阿拉伯）；以及藏置有摩西十誡之法版和耶穌的寶血的「約櫃」。

其中，最教人注意的大事件，莫過於是：「諾亞方舟」的發現。因爲，它關係到古代的人類究竟有沒有被大洪水毀滅過，以及什麼是世界末日的來臨……等問題。

據《聖經》記載，那次的洪水，幾乎造成了全地面上生物的毀滅，而僅僅只有諾亞一家八口人，以及跟在他們身邊的一些動物（飛禽和走獸）得救。他們八個人是藉著一艘方舟，即挪亞按照眞神的命令所建造，而倖免於難。

這艘方舟，後來在土耳其境內一處名爲亞拉臘的山脈中被考古隊發現。〈創世紀〉曾記載：它長三百肘，寬五十肘，高三十肘；一個（埃及）肘等於20.62英吋。所以，換算成現今人所熟悉的尺寸，它應即是一艘長515.5呎，寬85.9呎（最寬面有138呎），高51.5呎的大船；約有一個半的足球場那麼大。

據傳，在一九五〇年代，有個（舊）蘇聯飛行員飛過那兒，他曾經做過空中照相，並在當時的《生活》（Life）雜誌上發表該幀相片。後來，這篇報導，則被一位美國的業餘基督徒考古學家隆納德‧韋特看到。他因爲對此事很感興趣，之後，便帶著他的兒子找到那個遺址。當時，他即發現：那艘方舟已被土石掩埋著，幾乎是變成了化石。隔

年（1977年），因爲此地曾發生地震，並且震出了部分的船身，而令他大爲振奮。自此以後，他總共花了十二年（計前往25次）的時間，並且帶了一支考古隊，藉助高科技的雷達掃瞄裝置和金屬探測器，終於測繪出方舟的整個船形。

據他描述，方舟曾出土有由三層木頭粘合而成的夾層木，以及一些鐵器。此外，也發現了十三顆頂部穿洞的石錨；部分石錨的表面，還留有八個十字架的刻痕。爲此，在一九八七年，土耳其政府便對外正式宣布該地爲諾亞方舟考古區，並且開放旅遊、探險及考古。

有人也許會問：憑什麼能夠確定這艘船一定是方舟？針對這個質疑，這位考古學家表示：這是可以經由許多科學的考古資料來支持。他說：我們可以想想看，一般人是不太可能把大船造在山頂上。有人就算出這方舟的所在，距地中海至少約有七百公里遠，而距諾亞原來造船的地方，也有五、六百公里的距離。但是，發現方舟的所在地，卻是在五、六千英尺高的山脈上。這在在已顯示出：如果它不是方舟，那又是什麼呢？而最有力的證據，就是：目前已起出有關於該船體本身所使用過的部分鐵器、石錨和三層

木。此外，有關諾亞的墓碑的發現，更能支持上述的認定。

諾亞建造諾亞方舟

談到諾亞方舟這個事件，它的影響是深遠的。因爲，有了它的存在，就可以證明：地球人類在上古時期，就曾經遭遇了大洪水。今天，全世界約有二百多個大大小小的民族，多有關於洪水淹世的傳說。譬如說，我（中）國即有大禹治水的故事。印度傳說：在大洪水時，有一條大魚將他們的祖先（一對兄妹）吞到肚子裡，因而保全了生命。有人又說：中國傳說裡的「女媧補天」，這個女媧，應即是「諾亞」（Noah）的變音。

《聖經》記載洪水的起源，是這樣子的：

當諾亞五百歲時，天上眞神告訴他，你要按所吩咐於你的尺寸，建造一艘方舟，好讓你全家人都進去；此外，也要帶一些動物、畜類和飛鳥，以保留餘種。等到他六百歲

時，突然，天上的衆泉源都裂開，大雨不斷的降落地面，終於便泛濫成了大洪水。

根據解經家的說法，有人認爲：如以諾亞方舟的事件來看，我們現有的自然世界，可不是最好的世界；最完美的世界，則應當是從亞當到諾亞那時代的世界。在那個時候，我們地球的大氣圈之外，因爲曾環繞有一層厚厚的水氣圈；所以，它可說是一個完美的生物的生活世界。現今，則有太空科學家指出：在我們頭頂上的某些星球，它們的外環也都有水氣圈的存在。無怪乎，從我們地球上的角度來看，它們會閃耀出橘紅色的光芒。

由於當時的地球外觀，是這個樣子，而且那時候的太陽光線，並無法直接照射到地面上；所以，它使得人所居住的這個地球，可一直保持在平均攝氏二十三度左右的恆溫中。再說，因爲那時代的人都食用菜蔬，空氣中的氧氣甚濃，又有兩個大氣圈，致使地面上所生長的蔬果，應當是既肥又大。以人來說，一旦有人患了疾病，他也會因爲生態環境的優良而逐漸自動痊癒。你說，那難道不是一個完美的世界?!

迄今，已有科學家指出：在那個時候，地球上曾出現有腳長十五到十六英吋的巨人族；至於恐龍（參：《聖經》‧約伯記四十：15～24），也應該是在這個時候所出現的龐然大物。

2. 犯罪賈禍

《聖經》說：洪水滅世，是因爲在這之前，人類（神的兒子）觸犯了與非神的民族（人的女子）通婚，並且終日思想的都是罪惡，加上暴力橫行；因此，天上的眞神心中憂傷，便不得不以大洪水毀滅那個不敬虔的罪惡世代。

按：拙文的參考資料，爲：

㈠眞耶穌教會世界聯總傳道羅文光的證道內容，經錄音整理，而作部分的引用；

㈡Ronald E. Wyatt, Discovered Noah's Ark!（Nashville, Tennessee World Bible Society, 1989）。

二、摩西

1.因信而生

摩西生長的時代，大概距今三千五百年前；他是一個猶太人。《聖經》‧希伯來書第十一章24～27節記載：「摩西因著信，長大了就不肯稱爲法老女兒之子。他寧可和神的百姓同受苦害，也不願暫時享受罪中之樂。他看爲基督受的凌辱，比埃及的財物更寶貴。因他想望所要得的賞賜。他因著信，離開埃及，不怕王怒，因爲他恆心忍耐，如同看見那不能看見的主。」

《聖經》中的〈創世紀〉曾提到：摩西是靠著眞神，而帶領神的選民——以色列人經過紅海。他們走在海中，如行走乾地。之後，埃及二十幾萬的軍兵追了過去；結果，卻被倒流的紅海海水完全呑滅。

摩西一生的縮影，是：他知道自己是個猶太人，由於看到同爲猶太人的兄弟在埃及做苦工，被埃及人所磨；因而使他有所醒覺：活著，是要去拯救他們。爲此，他立下大志，不願暫時享受埃及王宮內的罪中之樂。

2. 生死觀

《聖經》曾記載：摩西是古代猶太人的宗教領袖暨政治領導人物。而有關於他對生、死的看法，我們可以在舊約《聖經》的〈詩篇〉中清楚看到，像他就說：「**我們一生的年日是七十歲，如果強壯一點，可以活到八十歲。但是，其中所矜誇的，不過是勞苦愁煩，轉眼成空，我們便如飛而去。**」（九十：10）

的確，我們每一個人的一生，總會因爲有許多的勞動與苦難（可稱之為：勞苦），而愁煩於心。此外，又有憂慮和煩惱，也會教人忐忑不安。當然，由於時光短促，人世一切的成就、努力與希望，也很容易在瞬間之中頓成泡影，化爲烏有。人的生命就是這麼的短暫，誠然有如曇花一現。

以上，所引摩西之對人的整個生命的回顧，所發現的實情便是這個樣子，而教任何人都不能誇口。這也就是說，人絲毫不能誇耀他自己的成就。因爲，凡是人所擁有的，如就它的實質內涵而論，無非就只有勞苦愁煩，一切即將轉眼成空，很快地如飛而去。譬如，人一死，雙手一攤，他的名利、財富，什麼都帶不走；這就是人類的命運和命定。我國先秦時代的莊子，就曾以「事之變，命之常」來作形容。他們兩個人的言論，多少可說是有其異曲同工之妙。

摩西的一生，雖然矢志要把猶太人帶領到眞神所賜予的迦南美地；不過，就在他快抵達之前，卻在一座可以遙見迦南地的山上溘然而逝。摩西在去世之前，曾向以色列人叮嚀了兩段話：**「你們要教導下去，跟你們子孫這樣講：要記得，我們今天出埃及，是神親自帶領我們，離開那罪惡的世界；沿路都是神在保護我們。」**

其實，摩西眞正要告訴以色列人的，就是：要他們相信神，抓住神，不能夠放棄神。因爲，神一直是他們出埃及而要進入迦南美地的隨身依靠；這裡的迦南美地，對日後的基督教徒來說，則是預表著永生神的國度——天國。埃及，則是預表今日罪惡滔天

的世界。

人在罪惡中，眞的是生不如死。古猶太人，原先就是抱持著希望而出埃及的。可是，當他們一到曠野之時，由於天氣燠熱，到處都是飛沙走石，又沒有東西可吃；於是，他們的信心開始動搖了；要不是抱怨這個，便是在埋怨那個。當時的摩西，深知人民內心的需要和肉體的軟弱；所以，便一再以眞神的話勸勉他們。而且還直言：我們都是人生曠野的過客；因此，要他們能把唯一的心思，寄託在那眞正能給予人心靈安息的家鄉——神賜的迦南美地。

摩西

的確，摩西是做了一次性靈上的預表和示範。他教導人們要相信：唯有天上的眞神，才能夠帶領世人走出這罪惡盈野的埃及世界。人類生命的未來，就是要以能進入天家、天鄉、天國，才得永遠的安

息。所以，他明指暗喻地表示：人千萬不可把他整個的希望與理想，寄託在這一既短暫、又苦難的有限世界中。

以上，所提到的是摩西藉以激勵當時的猶太人的生命價值觀。誠然，它已爲現今的基督（宗）教信徒，預示了一條重要得救的道路：要能因信而仰望那創始成終的耶穌；這就是永生。

3. 敬神守誡

摩西曾對天上的眞神這樣祈禱著：**「誰曉得你怒氣的權勢，誰按著你該受的敬畏曉得你的憤怒呢？求你指敎我們怎麼數算自己的年日，好叫我們得著智慧的心。」**（詩九十：11～12）這段禱告文，顯示出人對生、死應有的正確態度：人活著，即要有智慧地去生，而不要迷迷糊糊地去死。

雖然生、死對於每一個人而言，就是一種定數；但是，人卻迫切需要一顆智慧的

心，好教他不致像那些愚夫愚婦，盡是死在罪孽中、苟活在絕望裡。如果是這樣，他就與行屍走肉般的人無異，而不曉得生命之光究竟在何處。所以，摩西祈求眞神能夠來教導他，乃至教示我們世人，好讓我們多知道如何去數算自己在世間的年日。

其實，摩西（這位作詩者）的本意，是：我們都要在這有限的日子裡，去努力尋找眞神。不要光想去看自己眼睛想看的，或去追尋自己想欲求的；因爲，這一切的一切，無論如何都無法眞正滿足人心。何況，人一生一世的追求，也難以永遠得著。

在《聖經》的〈傳道書〉裡，智者所羅門王也曾經說過類似的話。他說：「**少年人哪！你在年幼的時候應當快樂。在年幼的日子，使你心歡暢，行你心所願行的，看你眼睛所愛看的，卻要知道，爲這件事情神必審問你。**」（十一：9）在這裡，所羅門王刻正質問自他那時代以來，歷代的年輕人都愛看哪些東西？心裡意求哪些東西？欲想實現哪些東西？他說：如果一個人任憑自己的內心歡暢，一意沉迷在自己的欲情中，而胡作非爲；那麼，他所做的這一切事，將來眞神必會一一審問。

因此，他說：「所以，你應該從心中除掉愁煩；從肉體克去邪惡。因爲一生的開端，和年幼之時，都是虛空的。」（十一：10）

實情如果是這樣，人活著還有什麼目的呢？智者說：總要除去愁煩，克去邪惡，因爲，這一切都是虛空的。唯有「敬畏（眞）神，謹守他的誡命，這即是人所應當盡的本分。因爲人所做的事情，包括一切隱藏的事情，無論是善或惡，神都必審問。」（十二：13）

從人的觀點而言，的確，要決定一個人自己未來的命運，他就要在自己還活著的時候；不然，別人都無能爲力。像祁克果就說過：人要永福？或永禍？就要在你所存在的生命裡去做智慧的選擇；因爲，並沒有什麼人能夠來代替你。而且，你也非要靠自己智慧的醒覺去行動不可。

它也像猶太民族的另一位偉人——大衛王的心聲：「耶和華啊！求你將你的道指教我。我要照你的眞理行。求你使我專心敬畏你的名。……我要一心稱讚你。我要榮耀你

的名，直到永遠。」（詩八六：11～12）

總結的說，摩西的人生哲學，就是：雖然人類的生命是短暫的，不過，他不會永遠消失。因爲，你只要相信眞神，能存著希望而生，並且努力追求一顆擁有智慧的心靈；那麼，在眞神的恩眷和引導下，你的人生前程就會越走越光明。你在平日的生活裡，就能夠隨時經受到「在地如天」的美妙。而就算有一天你也會死，可是，你並不用懼怕；因爲，你還擁有復活得永生的希望呢！

三、耶穌

1. 生平

耶穌，是猶太暨基督（宗）教經典《聖經》的核心主題。

以肉身的觀點而言，耶穌的誕生是這樣的：當馬利亞和約瑟訂了婚而尚未被迎娶時，她就由聖靈懷了孕；因而誕生了耶穌。「耶穌」這個名，並不是由馬利亞或約瑟取的，而是天使秉承天上眞神的旨意，吩咐約瑟要他來取這個名字的。

至於「耶穌」這個名，到意是意指著什麼？如果說，「釋迦牟尼」這個名是指：能仁又能寂，顯示他本人是釋迦族中的一個聖人；那麼，「耶穌」便是指：以那位永存的耶和華（耶威；按：自有永有）神爲救贖主。所以，一般的基督徒雖說他們是相信了耶穌；其實，它的本意，並不是指：他祇相信了耶穌而已；他也是相信了那位差派他來的

天上眞神，即萬人的父、萬物的主宰。因此，可以說，相信耶穌這位神的聖子的，也就是相信了他的聖父耶和華眞神。

2. 傳揚福音

耶穌在三十歲時，便出來傳揚神國的福音。他說：「**天國近了，你們要悔改。**」的確，耶穌所訴求的人，應是指：那些自認爲有生命的人。只有活著的人，才有自由意志能夠去悔改；死了的人則不能悔改，也無法悔改，因爲，他已經沒有了機會。

耶穌畫像

有人說：《聖經》不是講明「世界末日」、「天國要來臨」嗎？你看，都已經講兩千年了，怎麼到現在世界末日還沒來呢？沒有錯，就普遍意義來說，「世界末日」這個觀念，在兩千多年以前就已經宣告出來了；而爲要究明其中的原委，勢必要從耶穌的言論以求取解答。

耶穌說：「你們可以從無花果樹學個比方。當樹枝發嫩長葉的時候，你們就知道夏天近了。這樣，你們看見這一切的事，也該知道人子近了，正在門口了。」（太二十四：32～33）

耶穌是用比喻說話，也就是用隱喻在提述神國的終極性眞理。這裡的無花果樹，神學解經家稱它：係預表著中東的以色列國。表示在以色列建國（按：一九四八年）、復國，以及它周邊各樣的國家，也在追求復興發展的時候，這時，人就可以知道眞正的「神國」已快到了。（參路二十一：29～31）

不過，有人還是想問清楚：神國降臨和世界末日，是在什麼時候發生呢？耶穌說：他不知道，只有天父知道。而針對這樣的問題，也有人卻是指出：儘管世人難以確切知悉人類未來行將碰到的世界大事；但是，祇要人能細察耶穌平常的言論，想必就可以看出：神國的臨近，可說是已非常的接近我們了。有人甚至猜測，在二十一世紀初葉，也就是公元二千年左右那時期，幾乎就是了。因爲，它也符合神創造世界六天，到第七天就「安息」了的記載。以神的絕對的相對論之時間角度來看，如果一日可以頂一千年的

話；那麼，自有人類的創造至今，也有六千年之久了。

再說，儘管世界末日、神國降臨的時日，是人類難以預知的事；不過，鑑古知今，恐怕也仍是今人能夠解讀《聖經》中的這類訊息的重要法門。筆者之所以採取這種立場，主要是因爲，耶穌當時在談論這件事之時，曾用很耐人尋味的口吻，提到了人子降臨（神國臨近）之與諾亞時代何以會碰到洪水滅世的關聯性：「**諾亞的日子怎樣，人子降臨也要怎樣。**」（太二十四：37）

想想：在諾亞他們那個時代，何以會發生洪水滅世這件事呢？就此，《聖經》則提及，因爲那個世代的人，觸犯了天上眞神所認定的四大罪惡：相信眞神的人與不信眞神的人通婚；人類整天思想的都是罪惡；世上到處充滿了暴力；以及人們喜歡吃喝玩樂，光祗會縱欲，而不敬虔愛神。

反觀我們今天這個世代，世上除了充斥上述這四大罪惡的鐵證之外；再來，又有同性戀、淫亂，加上各式各樣的偶像崇拜……等。由此可見，今世一切的亂象和罪惡，簡

直可以說，不知超越了以往幾千萬倍。所以，有人指說：世界末日確實已迫在眉睫了。

不過，就特定的意義來講，耶穌說：「**天國近了，你們要悔改。**」這也是針對那些尚活著的，而隨時可能有不測的人來說的。譬如說：你現在二十歲，世界末日是要在你一百歲的時候才來到，那麼，對你而言，你還要活八十年才會碰到。而假如下一刻的你就要死了；那麼，世界末日對你而言，就是在下一刻馬上發生。到了那時候，一旦你還未信神，則顯然地，你是已經沒有機會可以悔改，以祈求赦免。再者，如果下一刻就是你的世界末日，那麼，它應該也就是你正要接受末日審判的時刻。原因是，在死亡中的人，根本已沒有長短時間的意識；所以，對他來說，他當下的死去、世界末日，以及末日審判這三件事，幾乎是在同時發生。

《聖經》還告訴世人：要是人能夠投身到耶穌的懷抱裡；那麼，他才能面對死亡，並且眞正戰勝死亡！

3. 生死觀

有關耶穌對生、死的看法，我們可以從下述這件事，約略看出：有一天，耶穌在講道的時候，他要求門徒能夠跟從他。當時，有一個門徒這樣的說：「主啊！我家有個親人剛過世，我可不可以先回去料理喪事，然後再回來跟隨你？」耶穌看著他，就說：

「任憑死人埋葬死人，你來跟隨我吧！」

從以上這段耶穌和他門徒之間的對話裡，即可得知：對耶穌而言，一個沒有眞神內在生命的人，即使他（肉身）還活著，那也算是一個活死人。而耶穌會這樣的說，他的期望，當然是：要他的門徒不要費心去管那些俗世的事情。因爲，那些事情，自會有一些世俗的人，也就是未獲有神生命的人去做。現在，最重要的事，莫過於趕緊去搶救那些靈魂已死、靈命已亡的大衆。這也就是說：耶穌要他的門徒，趕快跟從他去傳赦罪、得救的天國福音，好讓更多人能夠因信神而出離絕望，以及因信主而能夠獲得永生。

另外一個典故是，有一天耶穌說：**「父怎樣叫死人起來，使他活著，子也照樣按自己的意思使人活著。我實實在在告訴你們，那聽我話，又信差我來者的，就有永生。」**耶穌在這裡，就是明指：凡是能夠聽從他，也聽從神的話的人，現在就有永生，就必不

至於被定罪；也是已經出死入生的了。

耶穌又說：**「我實實在在告訴你們，時候要到，現在就是了。死人要聽見神兒子的聲音，聽見的人就要活了。」**究竟是什麼人才能夠聽見眞神兒子的聲音呢？當然，祇有活在世上的人才有可能。耶穌的語意，是：那些肉身雖然是活著，但靈魂卻已死的人，只要能夠聽到眞神之子的話語，而深知生命之道的重要；因此，他努力追求，仰靠眞神，並且敬謹遵行神旨，他便能夠脫胎換骨，起死回生。

這是因爲，耶穌曾經明示：天父怎樣在自己有生命，就賜給他兒子也照樣在自己有生命；以及一切行善的要獲得生命，作惡的則必被定罪。這裡即談到一個核心的課題：信主（耶穌）的人，才眞正擁有生命；不信的人則永在罪中，所以，即是死了的人。〈馬可福音〉曾提到：「**信而受洗，必然得救。**」（十六：16）這應已詮明：一個靈命已死了的人，一旦聽到了神兒子耶穌基督的聲音，並且信靠他，他就擁有眞實的生命和永生天國的希望。

說來，一個眞正有神生命的人，既然他堅信眞神，而且經常行善；那麼，他將來自必能夠復活得生。反之，一個作惡多端的人，將來則是「復活」之後而被定罪。至於一般活著的人，不管他有沒有神的生命，他當然有可能去犯罪。就算是已身爲基督徒的，當他在軟弱中偶爾被惡所勝時，也同樣有可能去犯罪。雖然他在將來可以「復活」，可是，當他「復活」之後，他卻要被神所定罪。

爲此，耶穌即不斷地強調：人們應努力獲得未來的暨永恆的生命。什麼是永恆的生命呢？就是永遠福樂的生命，永遠和眞神同在的生命；這則很像一般的哲學所說的「靈魂不朽」。衹是，《聖經》裡所講的靈魂不朽，當指：人的靈體之生活在永永遠遠的天國、神國裡。

4. 生命之光

其實，耶穌的講道，是極具宗教色彩的。雖然他也講論有關人世的倫理、道德和規範的事務；可是，他更是想描指：人應重視此世之後的來世暨永恆。

畢竟，這些道理，只有虛心又謙卑的人，才聽得進去，才能夠瞭解，以及才能夠悔改。一個自大又狂妄的人，他祇會依恃自己的才能、財富、知識或權威，而很難屈服在眞神的權能之下。因爲，這種人祇活在自以爲義的生活情境裡，而總認爲自己很理性，自己永遠是對的。

反之，一個能虛心，肯受教，又相信，並且接受眞神作他救主的人，自然就有機會贏得永生。就算他不幸死了，有一天，他也仍會復活得生。像耶穌在〈約翰福音〉裡，就這麼說：「**我就是生命的糧。到我這裡來的，必定不餓。信我的，永遠不渴。**」（約六：35）

的確，從基督（宗）教的立場而言，耶穌是從天上降下來的神子暨人子。他來，並不是要按他自己的意思，而是按那差他來者的，也就是按他的父的意思行。他的父的意思，就是：要讓一切見子而信神（子）的人得永生，並且在末日要叫他復活得救。

以上，已可以看出耶穌對世人生命的詮解：人都是生活在黑暗中；就連身爲現代人的我們，也全是一些活死人。原因是，我們本就是活在沒有希望，都是在絕望裡、在罪惡中的罪人。因此，耶穌即大聲疾呼：「**我是世界的光，跟從我的，就不在黑暗裡面走，必要得著生命的光。**」（約八：12）

5. 得救要道

在《聖經》的〈以弗所書〉裡，保羅曾經說過：「**你們既聽見眞理的道，就是那叫你們得救的福音，也信了基督，既然信他，就受了所應許的聖靈爲印記。這聖靈，是我們得基業的憑據，直等到神之民被贖，使他的榮耀得著稱讚。**」（弗一：13～14）這裡，即很明顯地指出：一般的基督（宗）教徒除了接受外在可看得見的合法的水洗（浸

禮）之外，他還要接受靈洗（按：藉祈求而得），好讓聖靈進住人的內心；這樣，才能呈顯出眞神在得救者身上的印記。

至於，陷身罪中的人，他就是生活在黑暗裡，而沒有光明與沒有希望的人；除非他肯相信耶穌基督。因爲，耶穌基督是道路、眞理與生命。

耶穌自述：人若不藉著他，便不能到他的父那裡去。這裡的「父」，是永恆生命的表徵。祇要人有心，並且肯藉著悔改、信心去接納神，他就必擁有神永恆生命的希望。而這個存在可能性，卻掌握於每個世人在他所生存的時間中的「自由選擇」。

又，耶穌也說過：「人所聽見的道不是他的道，而是差他來之父的道。」這即在表示：人既然相信耶穌，同時也就要去相信差他來的那一位（真神）。這是因爲，他的父是自隱的（賽四十五：15）；所以，他說：「你們看見了我，就是看見了父。」

耶穌的門徒之一，約翰也曾說過：「凡不認子的就沒有父，認子的，連父也有了。」它的道理就在此。因此，我們可以這樣說，相信耶穌是相信了神。眞神雖然是人

的肉眼所看不見的，不過，耶穌卻是人能看到的眞神本體的光輝。所以，人若相信了他，當然，也便是立時擁有了對眞神的信仰。

6. 獨一眞神的奧秘

現今，有許多的基督教會，便這樣認定：聖父歸聖父，聖子歸聖子，聖靈歸聖靈；聖父是神，聖子是神，聖靈是神；所以，神是「三位一體」的神。據筆者所知，這種論點，其實，是有違《聖經》的原始教訓的。就此，以下想來談談「耶穌」這個名，以爲它做一個澄清。

天主教的傳統和改革後的衆基督教會，多主張眞神是三位一體的神。這種主張是不妥的，原因是：聖子——耶穌基督，他雖然是神的獨生子，不過，有關「耶穌」這個名，它的原意，既然是指「以耶和華爲救主」的意思，而且一個相信耶穌的人，他便是在相信眞神；爲此可以說，「耶穌」這個名，它應已不祇是逕指神聖子的名，以及作爲爲拿撒勒人木匠約瑟的兒子之名。「耶穌」這個名，應該就是眞神的本名，也就是那位

在天下人間，曾以肉身顯示他自己的眞神的本名。

想必，有人會質問說：如果說「耶穌」這個名是聖父的名，又是聖子的名；那麼，在舊約時期稱神爲耶和華，新約時期則稱耶穌，這兩者的關係又應如何去區分呢？

針對這個疑難，筆者的淺見和回答，是：從《聖經》表面的文意脈絡來看，耶穌和宇宙的眞神耶和華（耶威）他們兩位之間的關係，似乎是一種父子的關係；也就是：耶和華是父，耶穌是子。不過，如果能從另一個層面，也就是從超越俗世理解之屬靈的角度而論，耶穌本人卻是那位曾自隱的眞神的肉身顯現。

既然《聖經》一再記載，在天、地之間只有一位眞神，而且那位眞神又已來到了人間，他的名字就叫做：神子「耶穌」；所以，應該可以這樣說：任何人一旦相信了基督耶穌，那麼，他便是相信到了這位宙世的眞神。爲此，結語就是：在舊約時期中的那位耶和華神，在新約時期即可被稱爲：救主耶穌基督。

今天，人們可以看到，有個名爲基督教會的，依然是以舊約的觀點，逕稱：人們不

應相信耶穌，反而應該去相信耶和華神。因爲，眞神才是耶和華，並不是耶穌。此外，它又這樣說道：耶穌也不是耶和華的肉身顯現；耶穌祇是耶和華眞神所創造的衆天使中的一位。他就是一位名叫米迦勒這天使長之在人世間的肉身顯現。

針對這一種稱述，我們認爲：它更是有違新約《聖經》·提摩太前書第三章16節的要旨：「**大哉，敬虔的奧秘，無人不以爲然。就是：（眞）神在肉身顯現，被聖靈稱義，被天使看見，被傳於外邦，被世人信服，被接在榮耀裡。**」以及也有悖於約翰福音第十七章6、11、12節，跟希伯來書第一章4節的記載。

綜括以上所述，可以得知：「耶穌」這個名，它就是眞神在天下人間所使用的名。關於這一點，新約《聖經》·使徒行傳第四章12節便記載得相當的清楚。

而談到眞神的名，也就是《聖經》記載神所使用的名，可說至少有七個。像在〈創世紀〉第一章裡所提到的神的名，就叫做：以羅欣；這是《聖經》中出現最多一個字。第二多的，是在第二章4節所出現的「耶和華」（耶威）這個字語。據《聖經》記載，

宇宙眞神就經常以「耶和華」這個名，向以色列人啓現，或頒布律令，或和他們說話。除此之外，耶和華以勒、耶和華羅非和耶和華羅易……等，也都是神曾使用過的名。

「耶和華」是自有永有者

「耶和華」這個字語是什麼意思？根據舊約《聖經》出埃及記第三章14、15節的記述，可知「耶和華」一語的原意，即是：自有永有（我是永在者I am who I am; I was who I was; I will be who I will be），也就是指：祂就是過去存在，現在存在，以及未來將存在之永不改變自己的神。

如果能照字面的意義來迻譯的話，那它就是：我是過去存在的我自己，是現在存在的我自己，以及是未來存在的我自己。就在我們世俗人所理解的過去、現在和未來這三個時間向度（dimension）裡，耶和華眞神，祂就是一位一直存在，而永遠不改變祂的愛的屬性的神。

又，在新約《聖經》的啓示錄第二十二章中，則曾記載——耶和華神說：「**我是阿拉法，我是俄梅戛；我是首先的，我是末後的，我是初，我是終。**」這裡的α（阿拉法）和Ω（俄梅戛），是希臘文字母中的第一個和最後一個。新約《聖經》既用希臘文來記載，眞神卻在啓示（約翰）中以希臘文自稱：祂是α和Ω。這委實已明確表示：祂不只是作爲祂的選民以色列人的神，而且也是作爲外邦民族希臘人的神。

這裡的「希臘人」則表徵著：那些追求（俗世）知識、智慧的外邦人，或全世界的人。爲此，可知：「耶和華」一語，它又顯示著：自古以來，這位自有永有者實已掌控全人類的歷史、文化的脈動暨走向。因爲，祂是一切的開始者，也是一切的終結者。

針對這個現象，我們從《聖經》中曾三番兩次提到：耶穌是和眞神同在、同等、同權、同榮、同尊、同工、同稱、同活，又同聖的那一位（參郭子嚴：《真道提要問答》・真耶穌教會台灣總會出版，1990，4，頁9）；因而，可以很屬靈地表述：耶穌的確是天上眞神耶和華之在地上人間的具體顯現。這可是一件奇大的歷史困思（弔詭）事件！像我們在先前所提到的丹麥的宗教存在哲學家祁克果，就做這同樣的認定。

所以，就此看來，西洋歷來的宗教思想界，或現今有基督教會，則逕稱：耶穌是三位一體神中的第二位神；這個觀念因而是有誤的。再說，《聖經》本無「三位一體」這個概念；可是，當今卻有超出百分之九十以上的基督教會和天主教會，很「明正言順」地主張：便是三位一體的神，或折衷地說祂是三位一體的獨一眞神。特別是後者這個稱述，聽來實在是有點不倫不類。想必最理想的稱謂，應可以這樣說：神就是人類的救主獨一的眞神；祂並不是三位一體的神。

再者，《聖經》又說：**神是靈**（約四：24）。早期因爲祂總是自隱，而不爲人的肉眼所見；祂是萬人的父。在新約時代，即距今二千多年前，祂便道成肉身來到人間，目的就是：按著祂純全的旨意，要來拯救人類。約翰則形容：在父懷裡的獨生子耶穌，已把他的父神表現了出來。自此，儘管肉身的耶穌已被稱爲神的「獨生子」；其實，他依然是眞神本身。因爲，宇宙中僅僅只有一位眞神。

所以，可以說：耶穌是在靈界中的那位神，也是在世界中的神；因爲，他本是靈。爲此，人們更有理由可以直稱：神就是獨一的眞神，全人類的救主，而不是三位一體的

神。

歷史回顧

祇是，爲什麼看來宇宙的這位眞神，會呈示出三種位格這類的「現象」呢？理由是，眞神的救恩工作，還沒有完成。而且，世上的人仍陷在罪中，這個天地也尚未終結；所以，對世人而言，眞神即暫時呈現成：父、子、聖靈這三種不同的位格形象。

而說到「三位一體」這個神學暨哲學的概念，其實，它是在公元三二五年，於尼西亞（尼翠）大公會議上所出現的一個詞彙。據悉，當時由羅馬天主教所召開的這場會議，即針對天上眞神的位格屬性，而做出這般的議決：眞神即是父、子、聖神（聖靈）三位一體神。到了第五世紀初，有名的教父哲學家奧古斯丁（Augustine, 354~430）在他的宗教哲學論著中，也有關於三位一體神的性質的解說。

此外，自一五一七年的宗教改革開始，因馬丁・路德的改教，以及由之所衍生的一些教派，有如一般稱爲基督新教的，即包括了：改革宗長老會，以及信義宗的浸信會和路德會……等，也都繼續承受神就是三位一體的神這種「傳統」的教義。

新約《聖經》中的約翰福音第十七章3節就提到：要「認識你獨一的眞神，並且認識你所差來的耶穌基督，這就是永生。」想必，光是耶穌所說的這句話，便足以辯駁現今一般的基督教會之指稱：「凡是不相信三位一體的神觀者，就是異端。」在這裡，似乎可以這樣反轉過來說：凡是不相信獨一眞神，而逕信三位一體神的神觀者，那他才是眞正背離《聖經》原始屬靈基督（宗）教的傳統呢！

7.絕對的相對論

耶穌對人生有什麼看法？從《聖經》裡，可以看到他有不少的觀點。耶穌出來傳道，約在三十歲左右。當他小的時候，也就是在十二歲時，《聖經》記載：有一次，耶穌隨家人到耶路撒冷的聖殿去敬拜神；後來，他的父母回家了，才想起孩子沒跟上來。接著，他們就在親族和熟識的人中去找他。最後，才發現耶穌正在聖殿中和教師在研究

《聖經》的道理，很是好學。

唯頗耐人尋味的是，《聖經》對於耶穌從十二歲到三十歲這十八年期間的蹤跡，卻沒有明確的記載。在近十幾年來，每逢臨近所謂聖誕節的時候，坊間的報章雜誌總會披載一則有趣軼事，即提到：他那失蹤的十八年，已被轉接到西藏的一個年輕人身上。

據傳，西藏的佛教經典曾記載：約在耶穌那個時代，曾有一個巴勒斯坦年輕人來到西藏勤求佛法。當他學習一段時間之後，則又返回他的家鄉。而這個時候，卻剛好是在耶穌失蹤十八年期間所發生的一件事。祇是，關於這項傳聞，究竟是眞、是假，一般人仍很難以確知；因爲，《聖經》根本沒有記載。

當耶穌三十歲出來傳道時，他便開始招收門徒。他講道的第一句話，是：「**日期滿了，神國近了，你們當悔改，信福音。**」這是預告天國的來臨，而要世人趕緊速做準備。由此可見，耶穌一在人類歷史中出現，末世就開始了。由於自耶穌到現在已兩千多年了，而在這末世期間所出現的「天國」（狹義上，是指：地面上的基督教會），在時

間歷程上也已經歷了兩千多年。爲此，總有人要問：眞正的「天國」在哪裡呢？這可是一個值得人們深省的問題。

既然耶穌一出現，已預示人類世界的末期業已開始；這也就是說，從《聖經》末世學的觀點而言，自第一世紀開始到現今二十一世紀，這個末世期已有二千多年了。

不過，我們仍然要說，如果就人類的時間而言，這二千年確實是非常的漫長；可是，如果對於「**無生之死、無命之終**」的耶穌（來七：3），或者對於永生的眞神而言，這二千多年也可相當於兩天呢！像在新約《聖經》‧彼得後書第三章8節裡，就這樣提到：「**親愛的弟兄啊！有一件事你們不可以忘記，就是主看一日如千年，千年如一日。**」這顯然是在提醒，世人應該深切理解：天上、人間是有著不同的時間尺度。在人世間雖然是明明經過了兩千年；不過，在眞神的心目中，或者在眞神的時間意識裡，那卻可當成：今天過去了而到了明天這一、兩天的時長。

當代猶裔德國的理論物理學家愛因斯坦（A. Einstein, 1879~1955），他所提出的

（物質義的）相對論時間觀，似乎也談到這類似的問題。他說：有兩個孿生兄弟，一個是住在地球上，另一個則搭太空船到外太空去作星際旅行；等到後者旅行一個月回來之後，他將會發現：他的孿生兄弟在地球上可能已經過了一、兩年之久。因爲，他曾離開地心引力，在星際間做了近光速的飛行；爲此，而呈顯出了兩樣不同時、空中的事物的變化現象。

《聖經》中所講的時間觀，當是一種（屬靈義的）絕對的相對論。雖說在眞神的心目中，人世間的兩千年，可以當成兩天來看待；而眞神既然是一位掌控一切的永恆者兼無限者；那麼，整個宙世或人世間，就算是已經過了千百億光年，在神內在的時間意識裡，那也僅僅是經過了一個剎那，或一個瞬間而已。

或者，也可以這樣的說：既然眞神是一位自有永有的神暨大有能力的神；那麼，就祂的時間觀來講，天地萬物的存在，就算是經過了無數億的光年那樣久遠，祂也依然能夠在永遠的現在、永恆的當前中，親睹萬事萬物在俗世時間中的一切流變。

8. 悔改求赦

耶穌曾講到：「天國近了，人當要悔改。」可見，他是預設了：任何人要是不向眞神悔改，就不能夠進天國。理由何在呢？就是：人若存在了，他就有缺陷、不完美、有罪。悔改，就是要祈求赦罪，要向沒有罪的眞神悔改求赦。耶穌在此，顯然又設立了一位超越者、眞主的存在。祂是創造萬物、主宰萬有的眞神。

據猶太暨原始基督（宗）教的教義記載，在舊約時代，眞神曾頒佈法令，有如頒布「十誡」，給猶太人去遵守。對他們而言，凡是遵守的人，就有福；不遵守的人，則有禍。在新約時代，耶穌曾向他的門徒，乃至一般有心耳的人說道：要愛人如己；這是最大的誡命。又，要你愛人，如果做不到，沒有關係，祇要你會祈求，神就會差遣聖靈來幫助你；它會幫助你禱告，或幫助你行善。這就是基督（宗）教的修己觀。

由此可見，基督（宗）教一向即認定：眞正的法律，不是人所能頒布的；敬神愛人的道德誡律，也不是人所訂定的。如果有人做不到，可以跟訂頒者（神）祈求，神就會

來幫助他修行，而使他達到完美的德行標準。所以說，一旦人能悔改向神求赦，他就必得救；不悔改，當然就必永遠沉淪。

9. 追求新人

耶穌曾說：「**虛心的人有福了，因爲天國是他們的。**」（太五：3）這是他在〈馬太福音〉第五章中所提到八種福氣（又稱：八福頌）之一。

他說：「虛心的人有福了，天國是他們的。」這是表示：一個自謙又虛心的人，必蒙眞神的賜福。這裡的「虛心」一語，似可引用我國道家老子所講的「虛懷若谷」的本意：人如果眞能虛心，他就能夠塡充很多的智慧、眞理和訓誨。如果他驕矜自滿，又自高自大；當然，就無法接受更高的智識、更艱深的眞理。所以，耶穌說：一個眞正虛心的人，他才能擁有天國。

耶穌又說：「**有病的人，才需要醫生。**」因而，他主動接近罪人，目的就是：要去幫助他們，使那些自認爲有罪的人，能悔悟己非，以尋求眞神的赦免。只是，那些自認

爲沒有罪的「義人」，耶穌則不去拯救。因爲，他們自以爲有義，自己就可以去關照自己。

難道不是嗎？總之，耶穌勸人總要虛心，要哀慟，要能溫柔，要饑渴慕義，要使人和睦，要憐恤人，要清心，以及要能爲義忍受逼迫；這乃是世人要進入神國，乃至承受神國福氣的必經要道。

再者，《聖經》也教導世人要追求眞正的人性，眞正的品性，以及眞正的神性。原始基督（宗）教講人性，就是隸屬眞理的人性。由於人世間沒有眞正的公義與眞理；所以，人性沉淪了，世道也混亂不堪。這是因爲，在每個人心中總隱藏著一隻看不見的黑手；這是說，在每個人的內心，一直藏有罪的存在。因此，無罪的耶穌便說：人要虛心，要能悔改，要接受救贖；以便去除罪行。唯有如此，他才能煥然一新，成爲新人；也就是在基督裡作成一個「新造的人」（the new creation）。

爲什麼要這說呢？主因是，基督本是眞神的道成肉身；所以，凡是眞正在基督裡的

人，他的（原）罪都已被赦除，而眞正成爲了新人。至於這個世界，卻要因爲亞當、夏娃的叛逆和犯罪，而變舊、腐敗，將來還要被天火所毀滅。耶穌來了，他開啓了新天新地。所以，凡是在耶穌裡的人，可以說，都是生活在新天新地裡的眞正的人、新造的人、永活的人。

這裡所說的「永活的人」，是指：一個在肉身死後，靈命會再復活得生的人。因爲，耶穌說過：「**我就是生命的糧。到我這裡來的，必定不餓；信我的，永遠不渴。**」人能復活得生，是指：信主得永生。因此，凡是相信耶穌的人，在他死後，則仍會復活得生命。所以，在耶穌裡的人，就是眞正的活人。至於那些不在耶穌基督裡的人，用《聖經》的話來說，也都是些活死人。

10. 兩個世界

新約《聖經》‧約翰一書第五章19節曾說：「**我們知道，我們是屬於神的，全世界都臥在那惡者手下。**」這裡，便把我們人所居住的世界，區分成了兩個世界：一個是屬

於神的世界；另一個是屬於撒旦（魔鬼）的世界，或惡者的世界。

它之所以有這種區分，主要是強調：一旦人有了眞神的信仰，他就是在基督裡面，也就是擁有了永遠的生命。至於在這個世界，在這既短暫、又有限的世界裡的人，因爲他的心目中，祇有世界（上的一切）而沒有眞神；所以，他並沒有永恆的生命，而永爲罪的奴隸，而爲眞正的死人。

11. 出生入死

耶穌來到人間，確已提供了世人們對生命重新的看法：人的生命是罪的生命，因爲人有罪，處在罪惡裡；所以，每個人必須去正視這個切身的問題。

原始屬靈的基督（宗）教指出，人類自然的生，就是罪惡的生。人，生下來就有（原）罪，人就是罪的存在；所以，人就是罪人。罪人如果沒有接受眞神以轉化他的內在生命；那麼，他就沒有脫胎換骨，沒有重生、得救的可能。更不用說，他能夠出離人世間一切的苦難和罪惡。

新約《聖經》中的約翰福音第三章曾這樣記載：「有一天，有個猶太人的官，夜裡來找耶穌；他說，老師，我們知道你是從神那裡來作師傅的。因爲，你所行的神蹟，如果沒有神同在，就無人能夠這樣做。」這時，耶穌立即藉機和他談論一個人「重生」的必要性。這個大官委實不明究裡，便答說：「我年齡已經這麼大了，如何能夠重生呢？難道要重新回到母腹再誕生一遍嗎？」耶穌則正色地說：「我實實在在告訴你，人如果不是從水和聖靈生的，就不能進神的國。」這裡所談的從水生和從聖靈生，其實，應該就是指：世人要接受他寶血的赦罪浸禮和受聖靈的洗。

然而，談到耶穌寶血的洗禮，現今的宗教界仍有爭議。譬如：長老會和天主教會……等，則解釋爲：施行滴水典禮。浸信會和新約教會……等，雖是重視下水浸禮；可是，它們卻容許以挖一個水池，或在室內或教堂旁邊的水池中，替人施行面仰天的浸禮。而據施行這種浸禮的教會的說法，它們之所以這麼做，主要是要向上帝宣告當事人已視神爲他的主宰；對魔鬼宣告他要和牠脫離關係；以及向朋友宣告說他要接受基督（宗）教。

顯然，這類的教會，僅是強調水洗或浸禮的宣告義、象徵義；但是，卻欠缺了赦罪義，以及聖靈的見證。這可是有違《聖經》中有關洗禮就是要赦人（原）罪的一種赦罪之禮。像：新約《聖經》‧使徒行傳第二章38節，以及二十二章16節裡的記載，就足以證明洗禮是和赦罪有關的重生之洗。

接著，我們來談談受聖靈的洗。由於一個人矢志要信主，並且奔走天國道路；那他的一生，一定會碰到不少挫折、苦難、打擊，以及諸多的煩惱。這時，《聖經》明示：神的靈，也就是聖靈，則會來幫助他，使他能勝過這一切的挑戰與誘惑。

至於一個人有了聖靈，或者說他接受聖靈的洗，是基於什麼樣的事實、證據，或者它應有什麼樣的特徵？現今，一般的基督教會，或基督（宗）教徒，總是認定：人一信了主之後，就有聖靈在心中；或者是，人一接受了洗禮之後，他就有了聖靈。再不然，便是他哪天在信仰中突然大澈大悟，一旦悔改了以後，他就有了聖靈。我們認爲，這類的說辭，也是和《聖經》原來的說法有所出入的。

《聖經》指示：人要受聖靈的浸，他一定是藉用「祈求」的，或禱求的；這在新約《聖經》的路加福音第十一章13節，以及馬太福音第七章11節裡都有提到。就算是在舊約《聖經》的撒迦利亞書第十章1節，以及何西阿書第六章3節中，也有這類的預示。

總之，從《聖經》的觀點而言，一個人想要接受神聖靈的浸，他就必須向眞神祈求聖靈。這也就是說，每個人的內心，都要像一畝田，向天敞開，好向天神祈求雨水般的聖靈；這樣，他的心田才會受到神恩的滋潤，而結實纍纍。

因此，在〈路加福音〉十一章裡便記載，耶穌教導門徒應如何去祈求聖靈：「你們祈求就給你們；尋找就尋見；叩門就給你們開門。」又說：「你們雖然不好，尚且知道拿好東西給兒女。何況天父，豈不更聖靈給『求』他的人嗎？」

12. 眞敎會七要

①《聖經》七要

基督（宗）教應該是怎樣的一種宗教？我們認爲，應該可以由七個要義去衡量。首先，我們先來看看《聖經》。

現今通行的中文《聖經》版本，也就是由香港．聖經公會所發行的《聖經》，計有六十六卷；而天主教會卻認定有七十三卷。爲什麼會多出七卷呢？主因是，天主教認可了那七卷的旁經。相傳，這些旁經，是當時那些在耶路撒冷傳教中心外圍的聖徒的傳教記錄。祇是，自十六世紀宗教改革以來，一般的基督教會卻不承認它們的權威性。所以，它們祇能作爲旁註，而無法當成眞神的默示來教導。

《聖經》六十六卷具有什麼重要的主題呢？最主要的是：它記載有關眞神的救恩，以及其它相關的信息。這則和佛經有所不同。佛經說：無神、無我；《聖經》卻說：**「起初，神創造天地。」**《聖經》一向的主張，是：眞神永存，萬有便是經由祂的創造而成。因此，我們可以這樣認定：眞神、魔鬼、人、罪、耶穌、教會，以及永生這七大要義，爲《聖經》原則性的重要主題。

《聖經》說：眞神是創造主，祂創造了天使，也創造全人類。在神的創造物中，天使長路西弗因爲自恃美麗、有智慧而高傲，結果即墮落成魔鬼。當牠被逐出天界以後，便在天下人間四處遊蕩，俟機即誘惑了人類的始祖亞當和夏娃夫婦犯罪。因此，自亞當以後，他的後代都因在罪中誕生，而成爲有罪的人。

然而，由於人類犯罪，至終必遭致地獄之火的刑罰；眞神便選在一個特定的時辰，差遣祂的獨生子降生世間。也就是以祂的道，親自成爲「耶穌」這個人來到人間，以替人類贖罪。所以，任何人一旦肯相信耶穌，他就有永生免死的希望。

《聖經》記載，耶穌被釘十字架三天之後，即從死裡復活。後來，耶穌升天，並且向眞神祈求而賜下聖靈，以建立祂的教會。從而，也就有了早期基督屬靈教會的開始。

早期的基督教會，大約經過了一、二百年，便因爲有許多「人意思想」的滲入，而逐漸使它轉變成了一個人爲的組織。這從新約《聖經》中的〈加拉太書〉、〈啓示錄〉，以及〈羅馬書〉……等預言式的記載，都可得知。想必，這是因爲當時的異教思想，包括：希臘的某些哲學學派的理論、知識主義、無神主義、物質主義，以及似是而

非的學說，已陸續入侵到原始的基督信仰裡。

所以，那時候還留在世上的耶穌門徒，有如：彼得、約翰和保羅……等，都曾撰寫書信，勉勵信徒要能辨明眞、僞，並且要能固守那早先一次交付給他們的「共信之道」（多一：4；猶3），而去抵抗外來的異端邪說。主因是，那些異端已更改了原始純正的福音，而不能讓人得救。

關於這一點，我們且來看看當時保羅心急如焚的叮嚀；他說：「**我希奇你們這麼快離開那藉著基督之恩召你們的，去聽從別的福音。那不是福音，不過有些人攪擾你們，要把基督的福音更改了。但無論是我們，是天上的使者，若傳福音給你們，與我們所傳**給你們的不同，他就應當被詛咒。」（加一：6～8）

‧基督信仰的歧出與復原

而自第四世紀初羅馬教廷掌握基督教會的實權之後，它卻因爲世俗化的傾向益形加劇，終於導致十六世紀馬丁‧路德（Martin Luther, 1483～1546）的宗教改革。不過，

頗遺憾的是，當時的改革、復原，並沒有完全成功。譬如：改革後所出現的基督教會，有的還是沿用滴水禮的洗禮方式。

再來，是安息日。早期的基督教會，原本是謹守聖安息日的；也就是從星期五的傍晚開始算起，到星期六的傍晚，即是安息聖日。不過，由於不少的基督教派，多認爲：耶穌已在星期日那一天復活；所以，人應該謹守主日，即星期日，因而便把安息日廢掉了。

其實，說到安息日，《聖經》早已提示新約時代的基督徒應有他的謹守方式。儘管安息日在舊約律法中已有明載；不過，它卻未被廢除。因爲，在〈創世紀〉第二章記載：神造天地萬物的時候，**「就賜福給第七日，定爲聖日；因爲，在這日神歇了祂一切創造的工，安息了。」**

因此，可以說：耶和華神早已向世人頒佈了這一安息聖日。這一安息日，並未隨著後來的律法（舊約）的廢除而被廢棄。就此，從新約時代的耶穌和保羅平日的謹守習慣

（參路四：16；徒十七：2），即可得知。

第三是，所謂受聖靈的洗，原本就是指：人要經由祈求、禱告，以能說出靈言（按：奇異的舌音）爲憑證。

就如同在〈使徒行傳〉第十九章中的記載，即提到當亞波羅在哥林多（按：在希臘）的時候，保羅經過當地，曾遇見幾個神的門徒，並且問他們說：「你們信的時候，受了聖靈沒有？」他們回答說，沒有，也未曾聽見有聖靈賜下來。保羅接著說：這樣，你們受的是什麼樣的洗呢？他們說：是約翰的洗。保羅說：約翰所行的是悔改的洗，告訴百姓，當信那在他以後要來的，就是耶穌。他們聽見這話，就奉主耶穌的名受洗。保羅將手按在他們手上，聖靈便降在他們身上。他們就說方言（按：靈言、靈語），又說預言（按：講道）。一共約有十二個人。（1～7）這是一段有關受聖靈者必須會說方言的重要記載。

而在同一經卷的第二章33節，則提到：耶穌「**被神的右手高舉，又從父受了所應許**

的聖靈，就把你們所看見、所聽見的澆灌下來。」這裡，又再次證明：一個受聖靈洗的人，是能說出外人能夠聽得見的「聲音」和看得見的「動作」，也就是方言、靈語（林前十四：2、27～28）。祇是，由於人多聽不懂方言，那是在向神禱告；所以，當神開啓他人的心耳時，他自然就能夠翻譯出別人口說的方言。

此外，在〈使徒行傳〉這同一卷的第十章44節以下，也提到了這件事；像它記載說：**「彼得還在說這話的時候，聖靈降在一切聽道的人身上。」**當時，有些信徒看見聖靈的恩賜也澆灌在外邦人身上，就很稀奇。因爲，聽見他們說方言，稱讚神爲大。而在第十一章，更是反覆提及：彼得說他「一開講，聖靈便降在他們（按：外邦人）身上，正像當初降在我們身上一樣。我就想起主耶穌的話說：約翰是用水施洗，但你們要受聖靈的洗。」

從以上的引述，已可清楚得知：耶穌所提到的**「你們要受聖靈的洗」**（徒一：5），當是涵指：人要受聖靈感動而說出方言這件「神蹟」的。祇是，歷代以來，尤其自十六世紀宗教改革以來，絕大多數的基督教派卻指稱：那是第一世紀的事，現在已沒

有了。

祇是，我們認爲：這即是一種詭辯。因爲，沒有聖靈，就是指：沒有神的靈。在〈羅馬書〉第八章裡，耶穌的外邦使徒保羅甚至說到：凡沒有聖靈的，就不屬於基督。因此，可以引申地說：如果一個自稱是基督教會的而沒有聖靈的同在，它就不能讓人重生得救。即使它也在施行洗（浸）禮，但是，卻因爲沒有聖靈同在的見證和認可，因而便沒有赦罪的功效；所以，被施洗的人，他的（原）罪也還在身上。

一個擁有眞神聖靈的教會，將因爲有聖靈的同在，而才擁有或赦（人）罪，或留（人）罪的權柄（約二十：22～23）；這是當今普世的基督（宗）教界所不可不察的切身大事。

②教會七要

總之，由以上的事證已可清楚看出，今天有不少基督教會是未信守《聖經》的原始記載的。因此，我們認爲：所謂符合《聖經》教義的基督教會，一定要信守七大信仰要

件。

這可參考新約《聖經》．以弗所書第四章4節的記載，即要能認定：一個身體（按：教會），一個聖靈，一個指望（按：永生），一位主，一種信仰，一樣的洗，以及一位神這七大信仰課題。這是新約基督教會首應認知的七大信仰要義。

③眞教會七要

接下來，我們且來看看聖經宗教的完美規模——「眞教會」（來八：2；九：24）七要件。

這眞教會七要，當是從《聖經》本身的查究中所推衍而得的一種眞理。

分別地說：新約屬靈的基督教會，首應高舉眞神的聖名（申十二：5；王上八：17、19）；接著，即要傳講全備而未被更改的神國福音（賽八：20；太二十四：14）；要傳揚眞理聖靈的來臨（約十六：13；弗一：14）；要有神蹟來證實（可十六：20）；

要傳能赦人（原）罪之全備的水、靈二浸（約三：5）；以及要純全唯一（歌六：9；賽二：2～3）。又，這樣的一種眞神基督的教會，勢必與東方有關（啟七：2）；這也就是說，它必是一個出現自東方的教會（創二：8；九：27；結四十三：1～4；太二十四：27）。

在此，可能有人會問：東方是指哪裡？我們要說，是指：閃族後裔所居住之地，或指亞洲。這可以由諾亞事件（創九：18～27）來看。

據《聖經》記載，諾亞有三個兒子：閃、含和雅弗。閃族的後裔，是住在亞洲；雅弗的後裔，是住在歐洲；而含則住在非洲。當時，諾亞曾分別給他們祝福，有的則是詛咒。譬如說，諾亞提到了迦南，說他當作咒詛，必給他的弟兄作奴僕的奴僕。又說：耶和華閃的神，是應當稱頌的，願迦南作閃的奴僕。更說：願神使雅弗擴張，使他住在閃的帳棚裡；又願迦南作他的奴僕。

想想：從以上諾亞的這一席話裡，我們可以看出什麼端倪呢？它有的是咒詛，有的則是祝福。不過，它卻是明示：雅弗要「住在閃的帳棚裡」。

總之，自古至今，特別是，「它」對雅弗（族）有所祝福，而要他們擴張。至於我們的理解，是：儘管居住在歐洲的雅弗族的後裔，即現今的白種人，他們的文化和文明或許已主導了這個世界；可是，在屬靈的救恩上，《聖經》有話則默示說：他們卻要「住在閃的帳棚裡」，而才得到身、心、靈眞正的安息！

這裡的「帳棚」，在基督（宗）敎靈意的講法上，就是指：家、會幕、聖所，或者敎會。所以，自此看來，早在距今四、五千年以前，耶和華眞神早就已預告嗣後和現今人類的歷史命運（賽四十四：7～8）。畢竟，如果能以實證的角度來檢視《聖經》；那麼，可以說，還有很多的事件委實已完全應驗了呢！

再者，以色列這個民族，它是名正言順的閃族的後裔。今天，我們所看到世上的宗敎，有如：猶太敎、伊斯蘭（回）敎、基督（宗）敎、天主敎，以及東正敎……等的出現，都可說是拜以色列這民族的恩賜。

不同於希臘之作爲一個「智慧」的民族，以色列則是一個宗教的民族、信仰的民

族。不容諱言的，它確實會帶給世上人類的心靈莫大的希望。

因此，我們認定：末世眞教會的出現，勢必遵循著這一條信仰的古道而純全地呈現在世人眼前。必然地，它將跨越過中古世紀的基督教會，也跨越過自近代宗教改革以來的衆基督教派暨教會，而出現在世界的東方：（現代的）中國。

當然，它是一個眞正在傳揚《聖經》七要、教會七要，而擁有眞教會七要信仰的屬靈的基督教會。我們之作這樣的指述，誠然是期待有心人士能逕對《聖經》眞理做反覆的論證，以及經由其信仰之眼的實地檢視。

走筆至今，可望時人在企求解悟，並超越生、死之謎這個事件上，則多能從以上的提示暨解讀中獲取不少的靈光片語。

第5章 存在哲學家的生死智慧

一、祁克果

1.思想淵源

祁克果，一向被稱爲：西洋當代的存在（主義）哲學的始祖。出生於丹麥的祁克果，是一個（路德會）基督徒。祇是，在學術的研究上，他不但深受耶穌的影響，而且也受到古希臘哲學時期的蘇格拉底的啓迪。

而談到生、死的課題，他尤其有這方面獨特的理解和極富創意的主張。因而，不愧爲西洋的存在哲學之父。甚至，也可以說是當代西洋辯證神學界中一位最具有原創性的心靈人物。

對存在的洞察上，他曾表示：有生命的人，就是指一個存在的人；沒有生命的人，就是指不存在的人。又說，存在，尤其指人的存在，乃包括我的存在，以及你的存在。

不過，你的存在，對於我而言，即是一種非我的存在；而我，對於你而言，也是一種非你的存在。

當然，存在除了是指：個人主體的存在之外，它還意指：另外的東西的存在；有如：動物、樹木、花草，或建築物……等的存在。但是，在哲學家的眼中，他所關懷的重點，無非即是我們這個有血有肉，以及有生命力、有意識活動的存在。

祁克果曾明指：「**人的存在就像運動一樣，是一個很難處理的範疇**」。這也就是說，我們人類，無論是在生理或心理方面，它總是不斷地在生成，在變化；同時，我們會思想，而有知、情、意的活動和表現。此外，我們每個人的心中，也總是隱藏著一些秘密；而這，便是一個存在的個人之難以瞭解自己，以及去瞭解別人的最大主因。

古希臘的偉大哲人蘇格拉底曾經說道：「**要認識你自己**」（Know Yourself!）這句話，對祁克果而言，可有著非常大的影響；像他因此就認爲：身爲一個存在的個人，你、我就要不斷地在自己生存的情境裡，去認識我究竟是誰？我現在正在想什麼？以及

我下一步打算要做什麼？……等這類切身的問題。在他看來，這是非常生活化，以及和自我的福祉非常密切關聯的問題。

不過，對其它的哲學家而言，這可就不同了。他們多是想用非常理性的、知性的方式，硬要把自己當成一個已外在化的存在對象或東西；然後，企圖用所謂客觀的方法，去觀察、思考、描述，或理解人類自己。最後，好去建構一種存在的系統學說或理論。

想想，這種待己之道，難道是合宜的嗎？的確，我們可以反省自己，並且感受自己的存在；我們更可以反省自己現在爲什麼正在思想某件事情，而不斷地後推下去。但是，一旦要把自己當成一個東西，然後將它做客觀化的處理；這時，可能就會有困難產生。因爲我正活著，我正在想事情，而且我也一直在改變中；爲此，祁克果認爲這根本是不可能的。

和莊子頗有同感的祁克果，他又說道：活著的人，也就是能夠在存在裡，那他就有了苦難。這是因爲，身爲一個人，他來到這個時、空間而成爲一個具有歷史的存在，他

便擁有了自己的過去、現在與未來，以及也擁有各式各樣的可能性。其中，當然就包含有煩惱、憂懼，或教人不安的事。結果就是：人要在絕望中生活，以及在死亡的陰影下掙扎求生。特別是後者，它指出了：所有活著的人，全都會面臨死亡；這一場戰役，終究是沒有一個人能夠逃避或倖免。

2. 認識自己

祁克果曾談到，既然我們總在思考東西，也研究各種事物的理論；但是，一旦我們把自己給遺忘了，那麼，所建構的一切理論，儘管是何等的縝密、龐大，它們也都是些虛空的、荒謬的，而且是沒有意義的。因此，他說：一切實質的知識，應該都是關聯到個人的存在的。

什麼是實質的知識呢？以前述我國莊子的觀點而言，他先是認爲：在美感的、審美的，或情意（性）的精神解脫中的那個情意我、審美我，才是眞實的我；而後主張：有關它的知識，才是一種實質的知識。

至於祁克果，卻不這麼認定。雖然他曾表示：人的存在是有三個階段，也就是感性的、倫理的與宗教的這三個階段；莊子所講的審美人生，應該是相當於祁克果所講的第一個階段，也就是感性階段。可是，有關於眞正的實質知識，在祁克果看來，卻祇有倫理的與宗教的知識，才隸屬於它；因爲，祇有這兩者，才會關聯到我們個人的存在。因爲，它們注意到了我們每個人自身的福祉，即：永遠的幸福。不過，感性的追求，則否。而且感性的情懷，又很難受到道德力的約束。

追求倫理暨宗教的實在

祁克果曾說：存在要有倫理。這是指：一個人要注意到，他應如何對待自己，以及想到應和別人如何的相處。其實，這是需要種種的規範與約束的。人並不能夠愛怎麼做就怎麼做，這是因爲：在人的心中，總會有良知來約束人的自我；以及當他在與別人的交往中，也有一定的社會道德和倫常去規範他。

而談到宗教，祁克果相信是有眞神存在的。眞神，祂是宇宙中唯一的、超越的，又

內在的神；每個人終究都要面對祂的存在和審判。祂是一位絕對者，也是完全的另外一位。

就個人與神的關係而言，祁克果說，我們每個人也是一個絕對者。因爲身爲一個存在者，我是個單獨的個人，也是擁有形體的個人。因此，我必須由自己出發，去正視暨思考我與自己的關係，我與別人的關係；乃至我與超越界（主神）的關係。

特別是，個人與超越界的關係，總必須從一個人之以個別的身分去面對它。至於這種個別的身分，便是定位在他與超越界的眞神有一種「絕對的關係」這項基礎上。

祁克果又說：身爲一個人，倫理和宗教是相當重要的；感性則是其次，而且是最後的。而論到倫理的暨宗教的主體，祁克果表示：「**存在，構成了一個人最高的興趣**」；這就是說：人應該將他自己的存在，當成他最優位的關懷「對象」。爲此，人一旦開始對自己的存在產生了興趣，這個存在便構成了他的「實在」（reality）；也就是隸屬於他之唯一的眞實的東西。說到實在，我們知道，科學的物理學界也講實在，譬如：粒子

就是了。基督（宗）教所講的實在，則是神或上帝，因爲祂是最眞實者。至於祁克果所說的實在，便是指：倫理的實在暨宗教的實在。祇是，這種的實在，是很難用抽象的邏輯語言來表達。它可是一個弔詭的現象。這就是在說：人的實在本身，即富涵了一種困思。

何以如此？這是因爲：雖然我們是存在著，我們活在存在裡面，而且也藉用思想想要去瞭解自己；可是，我們卻沒有足夠的認知力或理解力，眞正瞭解到自己。我們的確無法瞭解自己心中那個滿懷秘密的「我」。假如「我」是那麼輕易地就被自己所瞭解，那麼，蘇格拉底所說的那一句：**「要認識你自己」**，可不就白講了？

祇是，存在哲學家卻不時地表示：人只有眞正地瞭解自己，他才能夠成爲自己。如果人沒有辦法瞭解自己，他很可能就會成爲別人定義下的自己；這就叫做：「他人導向的我」，而不是在作「眞正的自我」。總之，一個人要是眞能夠對自己的存在（生命）感到興緻，並且不斷努力去關懷他，想必要達到對自己的認識的境界，也就不遠了。你能不說：這便構成了他的「實在」？

3.反思死亡

人有生，就有死；但是，人爲什麼會有死亡呢？祁克果也在思考這個問題。簡單的講，他一向認爲：要是一個人能夠關心自己的生，他也應該跟著去關心自己的死。

一個人之能夠思考到自己的死，這個思考本身，看似一個很抽象的活動，或是一種理論性的思維；但是，祁克果卻不這樣認定。在他看來，一個人之能夠思考到自己的死，他的這項思考本身，當是與去思考一棵樹的結構，或其它有關於它的本質有實質上的不同。

原因是，一個人一旦把他自己的死，當成一個思考的「對象」來看待；那麼，這個思考本身，就是一件帶有動態式的行爲，而不是一種理論性的作爲。他說：一個人一旦關心自己的死亡，那麼，他就會由這樣的關心與思考出發，開始對自己當下的言思行徑、生活動作，或者對下一步的選擇有所檢討、修正或改善。

畢竟，祁克果也說：死亡是無法被替代的。又說：任何世代的人，甚至那些計畫一生要把自己獻給思想的人，多半是在下述這樣的意象中生存或死亡：他活著，是要求取更多的瞭解。譬如說，如果他能夠獲得更長一點的歲月；那麼，他在人世間的生命，就可以變成一種較爲長久，又持續的瞭解的過程。

罪是死病

不過，問題卻依然是存在著，那就是：人爲什麼會死？祁克果說，人活著就只有這麼一次；如果他眞能夠好好地善用自己只活著一次的這個機會，他才是一個明智的人。至於人又爲什麼會死呢？他指出：人是在絕望中而死的。

可是，有人還是想要問：人爲什麼會絕望呢？祁克果說：是因爲有「罪」的緣故；罪，能夠讓人產生絕望。他甚至又說：罪造成人的滅亡，只有罪才使人的靈魂鏽蝕，使他永遠滅沒；這就是那位古代的哲人（蘇格拉底）所注意到的。當時，蘇格拉底便是拿罪之會造成人的死亡，而來證明靈魂的不朽。

的確，一個人活著，他的肉體雖然是存在著的，可是心靈卻是經常絕望的，因爲他有罪。對於這種心靈上絕望的人，我們可以稱他爲：活死人。因爲，他沒有了希望，他是在罪的束縛之下。既然他在罪中誕生，在罪中絕望；最後，也必然在罪中死亡，這是遲早的事。

又，凡是罹患這種疾病的，這種病可不是肉體的病痛，而是心靈上的疾病。肉體的疾病是藏在身體裡的，心靈的疾病卻是籠罩一整個人的；它能夠叫人痛苦一輩子。所以，罪（這種心靈上的疾病）將造成一個人的滅沒；罪就是死病。爲此，如果能以祁克果的觀點來理解人，那麼，凡是沒有基督信仰，沒有蒙神赦罪的人，他都是活在一種致死的疾病之中；也就是在罪之中。

祁克果又說：**絕望也是死病。爲什麼是死病？因爲，在絕望中的人，看不到希望，見不到光明。一個在黑暗之中摸索生活的人，便可看成是在罪惡中、在絕望中殘喘苟活的人。**

絕望有三種類型

罪是死病，絕望也是死病。雖然這種死病是一種自我心靈的疾病，不過，祁克果說，它的存在暨表現，卻有三種。

第一是，未曾意識到擁有自我的絕望；一個人要是不曾意識到他擁有他自己，這種人就會絕望。

第二是，不欲成爲自己的絕望；一個人要是想作別人，而不作他自己，這也是絕望的。

第三，也就是想成爲自己的絕望；這表示著：一個努力想靠他自己而成爲自己的人，到最後也是絕望的。

總之，從上述這三種絕望的分類裡，可以看出，人之面對他自己，委實是很矛盾。因爲，一個想要成爲自己，或不想要成爲自己，甚至還沒意識到要成爲自己的人，最

後，都是陷身在絕望當中。

顯然，上述這種的洞察人世的「絕望」，總讓人感覺到人生好像沒有出路，又沒有什麼希望似的。面對這種困窘的情況，祁克果則明確指出：「**在陷身死亡的絕望之中，人唯有掌握人類的智性面，並且緊緊地攀附著它，俾使人那並非不可觀的心靈能力，能夠成爲他自己唯一的安慰。**」

也的確，他是意指：當每個人都要面對自己的絕望情境之時，祇要他能夠隨時保持自己內心的清醒，他就有走出人生困境的可能。祇是，他卻又說道：「當我們絕望的時候，我便用自己來絕望；所以，我眞的可以靠自己來面對一切的絕望。不過，一旦我這麼做的時候，我就無法靠自己返回。」

針對上述這種情形，他即嘗試結論說：「（因此，）在選擇的瞬間裡面，個人就必**須要有神的幫助。畢竟，下述這種說法，是相當的對：爲了要觸及這一點，一個人首先就必須要去理解感性與倫理之間的存在關係。這也就是說，一個人若藉著生活在激情與**

內向性裡，他自然就會瞭悟宗教以及跳越。」

4. 正確選擇

據筆者個人的淺見，祁克果言下之意，應該是指：當我們面對絕望的時候，自己總要以一個人的身分去做選擇。如果此時的你，要不是只面對著空無；那麼，你就有可能碰到柳暗花明又一村的景象。譬如，很多人到了癌症末期醫藥罔效的時候，總是都會想到宗教，或求神問佛，或去尋找耶穌基督。這是因爲，人世間他所能夠倚靠的親戚、朋友、醫藥，或一切的精神寄託已到了絕望的時候，他才會想到要找另外一位更偉大的救星。

祁克果說，人在最後的選擇時刻裡，自己總要明白：他在面對感性以及倫理暨宗教之間，總要做一個理解和跳躍不可。他的意思是：我們並不能夠一直停留在感性的，或詩意般的生命境地。反而，應該努力跳越到倫理暨宗教的境界，以尋找另外的救援。

誠如先前所提，祁克果講的感性，雖與莊子談的情意有點類似；不過，祁克果卻毫無含糊地表示：感性，就是指要將你整個的心思意念，以及你所關懷的人生意義，完全投注在這個變化莫測的世界。譬如，人之汲汲營營於追求名利、財富和地位，以及積極蒐刮此世的知識、學問……等，這就是感性。至於人若把他整個的心思意念，僅僅投注到：要瞭解他自己，關懷他自己，並努力追求他自己生命的永福……等，這便是倫理。

因此，可以說，祁克果所意謂的感性，內容是相當廣闊的；可不像莊子所論述的情意，多只限於審美、情意性的人生境界的追求中。其實，祁克果所論說的感性，應已包括了：人的知性，或理性活動的一面。因爲，在他看來，一個人之努力作爲一個哲學家，或成爲一個關心這個社會的政治哲學家……等，這一切的努力和關懷，也都屬於感性的一面。

再說，祁克果所意指的感性，內容雖比莊子的論述還要廣泛；但是，他所眞正關切的，卻勿寧是那種能超越感性，而通抵倫理暨宗教世界的事物，或眞理知識。因爲，在他看來，重視感性，便會使一個人離開了自己，而傾向於積極瞭解世界、它物；相反

的，一個會重視倫理的人，即能夠走向自己，並且以瞭解自己作他人生最高的工作。因此，祁克果便說：如果你要成爲眞正的倫理存在（者），或者成爲所謂歷史中的一個追求世界的自己；那麼，這仍要靠你自己的選擇。

總之，祁克果涉談人需要關注自己的生，也要重視自己的死；祇是，針對個人自己的死，一個人總要由基督那裡獲得救援。就此，祁克果即引用《聖經》中的一個典故，來強化他的立場。他說：《聖經》中曾提到有一位耶穌的朋友（按：拉撒路）去世了，他的姊姊馬大與瑪利亞都很傷心地前來找耶穌。她們說：「耶穌，如果你在我們身邊的話，我們這位弟兄就不會死了。」當耶穌聽到這位朋友死了的時候，就很傷心地哭了。之後，他跟他們去到他的家，才知道他這位朋友已經死了四天。這時，耶穌卻說：「這個病，不至於死。」他的意思是說，現今有位生命的主就在身邊，人類的死亡，對他而言，當即是一件小事。因爲，他有權柄能夠讓已死的人立即復活得生。

所以，一般的基督信徒，因此就把耶穌形容成一位能使人復活的主。因爲，任何人要是遭受死亡、疾病和靈性饑餓的威脅，一旦信奉了祂，並且向祂祈求，祂都會讓人心

靈飽足，教人能夠獲得永遠的生命。而這，也就是基督（宗）教認定耶穌基督即是全人類救主的主要原因。

同樣的，祁克果也是如此的認定：人一旦面對絕望與死亡的駭怖，他總要迴向基督教去尋找眞神，或耶穌這全人類唯一的救援。

5. 不斷追求

談到人對生命的渴盼，祁克果要表白的是：人是一個存在的個人；雖然每個人都會死，不過，他卻是身爲一個短暫的永恆者而生存於世間。這是由於帶有肉身的我之活在這個世間，雖然會碰到它自身結束的一天，可是，我的精神（靈魂）卻是永恆的。自此，他即說道：人就是靈、肉結合的一個人，人也是由無限性與有限性所結合而成的矛盾之物。

不過，也許有人會問：爲什麼總要設定人有永恆呢？答案是：人一直有精神性的需求。祇要假定有永恆、有來世的希望，人就能夠倚靠這種可能性而活。相反的，一個人

要是生活在完全沒有任何的可能性的世界裡，那麼，他才是一個悲哀的產物。不僅這樣，他還要陷入絕望，並且受到死亡的陰影不斷地折磨。

祁克果的語意，顯然，是要你、我多能設身處地的爲自己的未來詳加打算。假如人們多發現自己的人生已沒有出路，那時的你，就要冷靜地思考，並且細想：難道你和別人一樣，也沒有人生的出路；不然，你的未來是否仍有柳暗花明又一村的可能？

的確，一個能活在可能性，也就是能活在有永福暨永生的希望裡的人，他的人生將不會因爲人人都會面臨絕望而絕望；反而，會因爲絕望而更有希望。因爲他知道，雖然沒有一個人可以避得開死亡，但是，他卻抱持了一般人所沒有的可能性，也就是信靠救主而有永生的可能性；所以，這種人是活在有永生的希望裡的。當然，他的心思行徑，也將會有他達觀的一面之表現。就此，在與各種宗教的排比裡，很多人就很容易看出基督徒的樂觀面、積極面和進取面。祁克果說，其實，世上的每一個人都是有永生或永福的希望的；只要他肯虛心去追求。這裡所說的永福，當即是來自於一種永恆的預設。

再者，祁克果又說，人既是身爲一個短暫的永恆者；那麼，他這個「個人」，就將凌駕於時間之上。原因是，在他身後一直擁有自己的永福。而他，就能夠利用堅定的信心，去渴盼永恆和追求永恆。這便是他超越時間的表示。筆者認爲，這則頗像詩人余光中所講的「刹那即永恆」的寓意：一個人只要抓住了刹那，他就能擁有永恆的擔保。祁克果的永福哲學，顯然便具有這一層的意思。

又，這種的觀點，也正凸顯基督（宗）教核心的訊息：「**信而受洗的必將得救，不信的必被定罪。**」（可十六：16）一個人只要有信，他就能進入神所設立的得救的恩門。

至於這一項的選擇，全繫賴於一個人在他存在時間中的決定：要抉擇自己，或因爲信而企盼著永福；不然，就將因爲選擇不信而終將引致於永禍。祁克果說，這便是基督（宗）教提供給我們世人的一項攸關禍、福的「選言」。

二、海德格

1.正視現在

談到海德格之對人死亡的看法，則必須先回溯到他對一個人的存在或生命的看法。

海德格是當代德國的存在暨存有哲學家，雖然他一向關心的是「存有」（Being）的課題；不過，對於「存在」，也就是祁克果所說的存在，他也並不陌生。

祇是，對他而言，祁克果所講的存在，則是一種心理學意涵下的存在，亦即是一種由個人的體驗或感受所把握到的存在。對於這種的存在，他則強調：應該對它做更廣義地詮釋。這也就是說：不能僅僅把存在當成心理學上所說的感覺的存在，而是應該就存有論（本體論）的角度，來理解和闡釋人這個獨特的存在。

原因是，任何人祇要他是活著的，就表示他事實上都存在著。這是指：就實際而

言，並非有個人去想像或有了體驗，他才存在；如果他不去體驗或不去想像，他就不存在。人的存在，可不是這樣的存在。任何人，由小到大，從年輕到老，不管他是否有人生的體驗，如就存有論的角度而言，既然他是活著的，那麼，他便是存在的。任何人都沒有例外。

因此，可以說，凡是被稱爲活著的人，他就是先在於一切，有如：先在於心理學、社會學、人種學、生物學、倫理學，以及宗教學……等的認知的存在。換句話說，在存有論的觀點裡，人這個存在則當是最具體，又最眞實的存在。它確實是先行於一切，超越於一切，而並不是心理學、人種學、科學、醫學，或其它學說所能夠論證清楚的一種客觀的「對象」。

海德格就抱持這樣的主張；並且強調：人「存在」這個事實，當是先起於任何對人存在本身的理解，而且也先行於任何對人存在的理解所建構的各式各樣的學說或理論（包括：科學、哲學、醫學與人種學……等）。因爲，在他看來，一個活著的人，即是具體存在的個人。這樣的個人，無非是最眞實、最實在，又不可被別人所替代的存在。

所以，他要說：人活著，可以說是具有存在性、現實性、歷史性、時間性與超越性……等的特質。

這是因爲：任何活著的人，都是一個十分現實的存在。他擁有過去、現在和未來的時間性；爲此，可以稱他是具有歷史性的存在。再者，一個人之被稱爲活著的人，他的這個活生生的存在，則又是建立在他所擁有的未來的時間性這個基礎上。其實，如果有人問說：我爲什麼活在這裡？這個問題，當然是已假設我這個人是隸屬於我自己的未來。譬如：「我現在正在做某一種的計畫」；我的這樣的一種心思活動，必定是要假設我還能活在未來之中的。

再者，如果我想要成爲一個音樂家的話，那麼，正在做這個計畫的我，當然，則一定要從現在開始努力做起，好藉著點點滴滴的心血來累積成果；這樣，將來才能夠如願地實現自己的理想。因此，單就人多會做這樣的計畫與設計的角度來說，人總是有意或無意地認定：自己是具有超越現有的一切的能力；並且也先行地預設：他還能夠活到將來的時間流程裡。

2. 認識死亡

在學理的探究上，海德格曾假設：我們個人的存在，即是一種能活在未來中的存在；因而表示：人的存在時間性，總是具有未來性的特徵。不過，他卻又談到，在具有未來性的時間進程裡，人所做的當下的理解與設計，乃至對過去片片斷斷的追憶，都教人不能不去注意一種的可能性。又，這種可能性的威力之大，則足以摧毀我們現今所擁有的一整個的存在，並且能夠徹底否定我們現所認知的一切有意義的世界；它便是個人的「死亡」。以哲學的術語來說，死亡這一個可能性，可稱它作：（一個人）存在的不可能的可能性。

既然海德格指說，死亡或空無，即是一種可以把我這個存在全盤加以否定的可能性；那麼，我們似乎可以用算術的加、乘法，來呈示有、無，或者存在與空無（死亡）之間的辯證關係。譬如說，我們可以把「個人的存在」當作一，「死亡」當作零，則一加上零仍然是等於一。畢竟，我們平常的認知，經常卻只看到一，而未能看到零的獨特威力和效用。事實上，祇要一和零發生了乘法的效應；那麼，我們這個存在，顯然就會

立刻變爲零。

由此可見，作爲零這個「東西」，也就是死亡，雖然是人所看不到的，不過，它卻是一直潛藏在我們衆人的存在的可能性之中。因此，可以說，雖然我們活著而總是懷有無限的希望，同時，我們也秉具有無限多的可能性；可是，就在這無限多的可能性當中，卻藏置有一個可能性，也就是具有空無一切之力量的「死亡」可能性，可以把個人一切的可能性完全加以摧毀。當然，它同時也能把人類一整個有意義的世界全盤予以否決。因此看來，所謂能夠表徵空無的死亡，它可不是一種在個人身外，可被自己看見或不被自己看見的「事件」。海德格說：死亡是如影隨形般地緊跟著每個人的存在；它是一種存在的可能性之一；爲此，他的哲學因而也可以稱作是：死亡哲學。何以這麼說呢？我們且來看看他曾有怎樣的主張。

他曾經說過：**死亡是對人這個存在的一種否定。如果人的存在是存有**（being），**那麼，死亡就是非存有**（non-being）了。又，非存有也是無（nothing）的意思，有人說不定就會追問：既然這樣，人又如何能夠去談論這個能「空無掉」所有事物的死亡

呢？

的確，這是一個相當棘手的問題。平常我們都知道，死亡多是意指：人的死，是你的死，我的死，或者他人的死。因此，針對每一個人的死，或者會死這一課題，海德格想到在他涉談人的死亡的時候，便將死亡這個「非存有」依附在人這個「存有」上面來思考，以便能掌握有關死亡的一些性質。

顯然，就因爲海德格相當重視對一個人的存在的分析，並且由之獲得了人的存在可具有下述的結構特性，即具有：時間性、空間性、現實性、歷史性，以及墮落性等。又，這些結構特性，也構成了人的本質。所以，他的存在哲學，可一再凸顯：我們人的本質，係繫賴於他的存在這個事實。原因是，你怎麼活著，怎樣去行動，你就是那樣的一個人。

我們認爲，海德格的這種對存在的洞察，之與他那強調死亡即是一種存在的可能性，而不是一個人身外的事件的死亡哲學，可有它極密切的內在關聯。這也就是說，在

一個人的平日生活裡，他對於某一個事件儘管可以掉頭不理，並且認定它跟自己並沒有任何的關聯；不過，「死亡」這個「空無」，卻是他的整體存在裡的一個可能性，或某一個「部分」。因此，雖有人害怕死亡而不敢去正視自己的死亡，不過，死亡卻是不從人願地死纏著人而教人難以揮除。坦白說：它可隨時隨地一直在影響一個人對他當下所做的大小的選擇和行動呢！

3. 向死存有

海德格的死亡哲學之對現代社會的貢獻，是：將一般人不敢去面對的「死」，拉到我們每個人面前來意識、來思考。他曾明白指說：死亡是我們存在的可能性之一；同時，死亡也是唯一能夠使我們的存在成爲不可能的一種可能性。他也說過：人是一種「此有」、「在世存有」，也是一種「向死存有」。什麼是「此有」呢？這裡的「此有」，在德文中是以「Dasein」來表示；英文便是「being-there」，也就是在那邊的一個存有（者）的意思。

其實，這仍不足以描述人這個存在的眞象：人也是一種在世界中的存有（者）（Being-in-the-world）。這個世界，就它的內容來說，可包括了天、地、人和神（明）。每個人既生存在這個世界中而成爲它的一部分，你、我彼此便形成了一種互爲依存、互爲影響，並且是共同生活在這個世界的存有者。

人在「無」中做「有」的設計

再者，海德格更明確說到：人除了是一種「在世存有」的人之外，他也是身爲「向死存有」（Being-unto-death）的人，也就是身爲一種朝向自己的死亡的存有者。我們認爲，海德格之這麼說，他的用意當是指：人即是走向他自己的空無的人。不管這個空無，是指遙不可測的未來，還是那個能夠來否定人的存在的死亡。

結果，我們已全然被「無」所封殺。因爲，假如你是活在未來的時間裡，而未來的時間，以及其中的一切，卻是摸不著、看不到；所以，它就表徵爲「無」。而最嚴重的是：死亡這個「空無」，卻將要否定一切。

假如你死了，對你而言，就是什麼都沒有。假如你並未死，你正面對自己的未來，那麼，你的一切設計，也是在「無」中逕作設計；你就是在「無」裡做一個「有」的設計。而這，也無非在表示：一個人他整個人生，完全已被「無」所貫穿，甚至已被能夠表徵爲「空無」的死亡所限制。

海德格的這種說去，看來是相當的晦暗，又令人悲觀。爲此，有人批判他，說他的學說非常的虛無。其實，當代西洋有不少的存在主義哲學家，有如：法國的存在主義者沙特，以及德國的宗教哲學家田立克（梯立希，Pual Tillich, 1886～1965）等人，都在講這些東西。

據筆者所知，在某個意義下，海德格的這種存在思考，是有它正面的價值的。因爲，現今很多人活著，總是太過理性，太過樂觀，又太會忘我；最後，竟然連自己到底是誰，也完全一無所知了。他的這種存在思考，應該可以讓大多數人收斂一下，並且深切知道：我僅是一個無力的有限者。我的才華與智能，既是有限又短暫；所以，我是無法目空一切的。因爲，天外仍然有天，人外仍有人！

4. 追求眞我

在有關死亡的思考上，海德格曾把宗教排除在哲學之外，因爲，他一向認定：（存在）哲學不應該帶有（基督宗教）神學的殘餘。

以前曾提到的祁克果，他相信有永福存在；在此，海德格則認爲：一切全都是短暫的。主因是，我們任何人的一生都是短促的。爲此，人所思考的一切，以及所擁有的一切，也全都是短暫，又有限的。即便有永恆的啓示眞理，他說，它對於你這居處在短暫，又有限時、空中的人而言，也依舊是現世的、暫世性的，而不是永恆性的。因爲，你對它的認識和理解，總是很有限。所以，我們可以說，雖然「死亡」是海德格念茲在茲的重要課題，不過，他卻有意排斥宗教；也就是試想由價值中立的立場，逕把死亡詮釋成：一個人要實現他「純眞的存在」（the authentic existence）所必須通過的重要階段。

他的論點，是：一個人要想爲自己做下一步的選擇，他就必須要有下述這個假設；

亦即對（自己的）死亡有一預先的認識。因爲，他說過：我們並無法知道死亡會在什麼時候降臨到自己的身上。如果一個人能夠事先預期他擁有死亡的可能性，也就是先行地預期那隨時會來否定自己現有的一切的「空無」的可能性；那麼，就在這事先的預期和理解下，他對自己在下一步即將採行的任何選擇或行動，應該就會比較謹愼一點。他說，這就是一個人能眞正面對他自己的「存在」的表示。因爲，這樣的人，並沒有把那屬於他的一種可能性，也就是自己會有死亡的可能性，從他身上排除出去；反而，能將它納入自己的意識中而來進行思考。因此，他所做的一切設計或選擇，顯然就比較忠實於自己，也比較隸屬於自己。

海德格說，這才是一個人之所以能夠瞭解，並且達到他眞正自我——「純眞存在」—的方式。又說：一個要追求自己純眞存在的人，他現在就必須要從自己非存有的生活方式裡走出，而努力追求自我身、心的改變；那麼，他才能夠走向於眞我，並且呈出自己純眞存在的生活表現。詳言之，從「假我」以轉變成爲「眞我」的步驟，就是：首先，要考慮到自己有死亡的可能性；接著，逕以預期理解、預期把握的方式，先行去認

識它；最後，才在人自己的意識裡，去決定下一步的選擇與行動。

這樣一來，他對自己的一切言思行徑，就不至有所反悔。因爲，他已將自己一切的可能性包括了進來；所以，他應能坦然面對自己的選擇，並且接受它的後果。從而，以對自己的一切行爲有所負責。有鑑於此，我們可以說，和一般的存在哲學家的主張一樣，海德格的存在哲學，是帶有某種道德義務的性質的；因爲，它強調人總要對自己的一切負責。

又，順著上述這種觀點來講，儘管海德格的死亡哲學或存在哲學，曾被批評爲一種虛無主義；可是，我們卻是認定，它可帶有社會教化的正面功能。因爲，它教示我們：要我們能夠認命，也就是要能順命；並且知道自己祇不過是人。此外，它更向每一個人警示著：祇要他活在這世界上，所謂他的生命大限，隨時就有可能發生；因此，他並不能膨脹自己、高估自己。特別是，他在自己知、情、意的表現和爲人處世方面，以及在有關他未來的人生觀、價值觀與世界觀的建立上，可要隨時有所修正。這是因爲，我是我，我要過我自己一個人的生活；我會死，也是自己要去經受自己的死，這可是別人所

無法取代的。

據傳，海德格在一九七〇年代曾接受德國《明鏡》週報的一次訪問；他在該次採訪中，似已明顯透露出：他的存在哲學，或死亡哲學，應可關聯到基督（宗）教的神學。

這裡所談到的基督（宗）教，就曾明確指出：來自於神的「眞理」，即能夠讓人得到眞正的「自由」。又，這種眞理的內容，當是具有生命力、感動力和轉變力的。它並不是理論，也不是學說，而是眞神的生命力本身。

第6章

東方人的生死智慧

一、莊子

1.道觀

中國道家老、莊的哲學，都是以「道」作爲他們思想的核心。而且，他們許多的人生洞察，也都是由對「道」這一萬有的存在本源的理解暨體悟所推衍出來的。

像莊子本人，他對「道」本身就有頗獨特的見解，他說「**夫道……，自本自根，未有天地，自古以固存；神鬼神帝，生天生地。在太極之先不爲高，在六極之下而不爲深，先天先生而不爲久，長於上古而不爲老。**」（〈大宗師〉）

由此來看，莊子對於「道」的看法，幾乎與老子沒有兩樣，這也就是說，他們同樣認定：「道」即是萬有的根源，是先天地而生的「終極實在」（the Ultimate Reality）。再者，莊子又說：「**道有情有信，無爲無形；可傳而不可授，可得而不可見。**」（同上）老子也說過：「**天地萬物生於有，有生於無。**」（道德經‧四十章）；「**道生一，**

一生二，二生三，三生萬物。萬物負陰而抱陽，沖氣以爲和。」（同上・四十二章）

以上這些見解，都是老、莊二人對道的本性的形容；同時，也顯示出：他們這兩位聖哲在道之思想上的傳承關係。

2.人生觀

談到身爲萬物之一的「（個）人」本身，到底是怎麼一回事呢？莊子說：「**人之生，氣之聚也。**」人爲什麼會存在呢？莊子認爲：這是因爲人稟受上天所賦予的氣息。

莊子

氣息一經凝聚，人就生氣活現地存在著；氣息一旦散去，人就立即死亡了。對於這種命運，莊子則說：「**知其不可奈何，而安之若命。**」

至於談到對人生境界的最高追求，莊子在〈逍遙遊〉篇裡，則提到一種「神人」的形象；說這樣的人，能夠「不食五穀，吸風飲露，乘雲氣，御飛龍，遊乎四海之

外。」你想，人世間眞有這種近乎超凡入聖的神奇之人？不然，莊子對於神人，甚至眞人的形容，何以寫得如此的怪誕，又很神話呢？其中的理由，想必就是：道家的思想，在基始上可能是受到了中國古代民間傳說的影響。

據古文獻的記載，中國古代傳說曾提到許多眞人羽化成仙的軼事；所以，莊子很可能是利用那些神仙故事，或神奇軼事，來描述一個得道之人的仙風道骨，以及他那不沾人世生活的表現。

顯然，這種神人，並不是已眞的變成了神仙，而是說他的內在精神或超凡的心靈，已然能夠和天地同躋久遠。即所謂的以超卓的心靈，能夠凌駕在天地之上，遨遊在天地之中，並且逍遙在天地之外；這就是莊子的超越的人生觀，也是他所期盼的眞人的生命典型。

3. 生命境界

談到莊子對生命境界的體悟，我們自然可以說，他也是深受他的師尊——老子的影響。雖說莊子對「道」的體驗，幾乎與老子並無二致；不過，在基本上，他卻是重視人要追求自然、無華的摯眞意境。所以，在莊子的哲學裡，我們可以看到，莊子幾乎是把「道」和「自然」當成了等同的指謂。

道法自然

至於在老子的心思裡，更是這樣。像他就說到：**「人法地，地法天，天法道，道法自然。」**（道德經・二五章）

老子

老子之所以會這樣說，他當然不是要指：在「道」之上還有另外一個東西，它就叫做「自然」，而有待於「道」去積極效法。老子提說的這一句話，雖然表面上具一種位序的關係；不過，如就「道法自然」這語句本身來理解，以及參酌老子在其它章節中的論述，則當可知悉：他並不

是要說，「道」必須去效法自然界中的另一個存在物——「自然」。而是表示，道是「自反」的道；「道法自然」，基本上就是「道」在效法它自己，也就是「道自身」。

主因就是：在「道」之後，並沒有另外一個存在物，也就是沒有「第一因」的存在。因爲，如果「道」是效法「自然」的話，那麼，有人可能又要問：「自然」又要效法什麼東西呢？所以，「自然」可以說就是「道」的本性；「道」，便是依循它自身的本性而自行其事的「道」。

這種說法，頗相當於原始基督（宗）教所講的「神就是道」。因爲，據筆者所知，猶太暨基督（宗）教的神，經常以祂的「永生」來說話；但是，它並不意指：這個「永生」要比神還要高超。這個「永生」，就是神的內在（生命），或祂的本性；神的本性，本來就是永生。因爲，猶太暨基督（宗）教的這位神，原本就是以「自有永有」（聖經．出三：14），自己作爲自己存在的本因的永生之神。

至於老子對「道」的體驗，也應是如此。他認爲：「道」的本性就是自然；而自

然，就是順其自性而無所爲之意。「道」因爲能順應本性，並且能夠自謙，又能愛人愛物；再者，「道」在自謙中而永不自恃，又不佔有；所以，老子說：「**道無爲而不爲**。」

無所適事，生而不有，爲而不恃，長而不居，既是「道」的美德；所以，在這愛德中，「道」即能夠推己及人、泛愛萬物。終而，使得萬物全都能夠在「道」中自然成長、自然茁壯。無怪乎，老子要說：「道」之對萬物的成長，是有如此奇大的貢獻。

畢竟，最是敎人稱頌的，則是「道」的永不居功。又，儘管我們人類在自然界中繁衍生存，而且歷世歷代的人，都無法看到「道」的整體性的存在；但是，我們每一個人，卻都是生活在「道」的敎養中，以及沐浴在「道」的偉大恩德裡。由此可見，「道」與我們是何等的毗近和親密呢！

冥合自然

再說，莊子因爲深受老子的「道法自然」這種觀點的影響，所以，他也主張：當一個人活著之時，他存在的目的，就是要努力追求與「自然」合而爲一。所謂「冥合自然，任天而行」這種精神理想，便是莊子整個哲學的最高訴求。不過，人當如何努力，才能夠達到「冥合自然，任天而行」這種至高的生活意境呢？莊子即提出：人必須要勤作「專氣凝神」的工夫。

這則讓人聯想到莊子曾講過的一段話：人是因氣聚而生，由氣散而亡。所以，在他看來，如果一個人能夠凝神聚氣，不將內斂的精神，恣意放在對令人目眩神搖之物的追逐上；那麼，他就能夠收心養神。

對外在世界盲目的追逐，迷亂的追求；結果，祇會使人玩物喪志，喪失心神。因此，莊子便說：我們要勤於專氣凝神，使精神凝結集中；這樣，人內在的精神生命，才能夠得到健全的發展。而且，最終必能達到與「自然」冥合爲一。

畢竟，莊子筆下的至人、神人、聖人，或眞人這種逍遙人格的人生境界，當是一種

精神無上自由、無上自在的超越境界。它也是一個人的精神我，或情意我之得以高度突顯的自由境界。基於這種對精神自由的最高訴求，我們應該知道：莊子的整個哲學，同時，無不是在批判時人之對於物質欲望狂烈的執著，以及對於形體我或認知我的一廂情願的沉溺。

莊子本人所追求的，當是人內在生命的一種轉換。雖說人活著，固然是有肉身作他的載體，就如柏拉圖所說過的：人是一個靈、肉合一的存在（物）；不過，柏拉圖在這裡所說的肉體，卻是一個會禁錮靈魂的監獄。莊子的哲學內容，似乎也有這類似的說法：人即是二元性的產物。因爲，他是由精神和肉體所構成。

如果一個人要過眞實的生活，那麼，他就要墮形體，忘卻形體我、物質我；也就是要擺脫掉那個對物質欲望有著深切渴盼的自我的束縛，即藉著廢棄它而來提升自己精神的自由度。唯有這樣，他才是眞正達到一種眞自由、眞無待的逍遙境界。

總之，追求個人內在生命的自由與自主，是整個莊子哲學的大原則和大方向。細部

地說，莊子也跟老子一樣，藉著觀照萬物衆生，一者，已發現到：生、滅即是整個萬有存在的眞象；二者，則認定：一個人衹有在生、滅的時間流程中，積極尋找眞正的自我，進而以保全這眞正的自我，並不隨波逐流，這才是他人生的終極目標之所在。

4. 生死觀

對莊子而言，他認爲：人與生俱來就帶有形體與精神這兩種存在要素。衹是，這兩者的性質，卻彼此有別；所以，它們會產生衝突與矛盾。最後，則將導致一整個人生命方向的迷失。

這是因爲，世人們總是一方面，想去滿足對物質的欲求；但是，另一面，又想去滿足對精神的需求。因此，面對這樣的一種矛盾情境，便導使他惶惶不可終日。爲此，莊子說：如果一個人眞能夠破除對形體我、形軀我，或假我的執著，這才是「善吾生」之道；也就是好好地對待我們自己的生命的上上之策。

再說，既然一個人能夠善待己生，他也必能夠「善吾死」。這就是指，既然一個人

會好好地對待自己的生命、自己的存在；那麼，在他善待己生之際，也就是在他能使自己的生命滿全地發展之時，他也必會去正視自己生命的消失，即會看重自己肉身生命的死亡。

莊子的這種生死觀，也頗像孔子之對生、死問題的剖白。像孔子就說過：「**未知生，焉知死。**」（論語・先進第十一）這句話的本意，就是：如果一個人要好好地去面對，並且瞭解自己的死亡眞象；那麼，他就必須先好好地認識，並且去處理自己的生命。因此，如何作成一個道德意涵下的君子或聖人，便成爲孔子瞭解人生，並且奮鬥人生的終極關懷。

剛才，我們談到莊子之對生、死的看法，顯然，他就帶有這類似的認知：一個人要有勇氣去面對自己的生命，以及積極去關懷自己今生今世的一切。祇是，他卻強調：一個能夠善待自己生命的人，應自然而然，會好好地去面對自己的死亡，以及善待自己的死。所以，由此看來，對莊子而言，「善吾生」已成爲「善吾死」之最重要的前提。

道通爲一

從莊子的觀點而論，一個人當怎樣的努力，他才能夠達到「善吾生」的要求呢？首先，就要體認宇宙中是有「道」的存在。這是因爲，人與「道」本就具有不可分割的關係：我們都來自於「道」，也將回歸於「道」；我們身上，全都帶有「道」的若干的屬性。

道的本性就是自然，「無爲而無不爲」；它不做作，而卻期待一切都順應萬化，順乎自性。既然道的本性就是自然無爲，所以，莊子認爲：世上的人也應該去追求自然。這個自然，當然就是：不要刻意地造作，工於心計，或利用機巧蓄意地去營造一個專爲己、又利己的生存環境。如果有人這麼做，它便是人爲的造作（artificial），而有違自然的本意了。

坦白的說，我們人類文明的成就，顯然就是一種人爲的造作。不過，話又說回，我們人類之所以會去創造各種的文化，或各式各樣的文明，那它也只是因循其本性的衝

動，或由於其本性的需要所造成的結果。

說眞的，世人們爲了滿足他生命的基本需求，以及爲了要讓生命能夠適應在人世的歷史社會中，他就會動用奇想而設計出一些途徑、技巧或工具，以便去改善他的生命與生存空間。因此，在這種觀點下，有人不免要問：人類的文明到底是合乎自然，或「道」的本性？不然，那它是否是人的刻意造作？

想想：要來細究它箇中的分際，委實是有點的困難。因爲，這樣的問題，的確頗難做出明確的區分。不過，我們卻是認爲：它應該可以透過每個人對他自己內心的觀想和探索；或者可以利用蘇格拉底所提的「認識你自己」那種方法，嘗試去獲取解答的。

想必，一個人在努力認識他自己的過程中，就會慢慢知道什麼是順乎自然的發展？或什麼是刻意造作的行爲？再者，常言有道：「人同此心，心同此理」；這一項認識他心、他人的類比原則，也將作爲我們去論判什麼是順應自然，以及什麼是違乎自然的參考依據。

5. 反璞歸眞

至於到什麼時候才能夠讓一個人的自性，也就是眞正的自我，清澄地朗現呢？可參考禪宗的一句話：「直到夜深人靜，良心才會明現。」

的確，白天是我們在意識界中活動的主要空間。人在意識界的活動中，就會與別人建立不少的人際關係。也許，爲了某種的私利，或者其它的目的，人就會盡力去維護他的人際關係；甚至，還用許多的機心巧計去迴護它、圓融它，或粉飾它。顯然，這已是有違於人的自然本性，更遑論那「道」的天理正義。

所以，我們在社會中的生存，其實，多是生活在一種「他人導向」的情況中。這就是說，我們經常無法把自我眞實的形象展示在他人面前；於是，有人就這樣說道：我們每個人多是戴著一個面具或皮相在做人。而它的動機或者目的之一，就是希望別人多能把我們當成是一個健全的或完美的人。

其實，請大家捫心自問：我們的骨子裡，難道不是拌雜了一大堆虧欠、不足、齷齪和心虛？面對這樣的一種困境，說實在的，任何人多是沒有什麼辦法的。因爲，人們多爲了保護自己，俾使自己在社會中得以生存，並能欣欣向榮；所以，他就會經常使用許多的心計去包裝自己。

對於老、莊而言，這當然是違悖了自然，也違悖人存在的本性。基於這種人性上的弱點，莊子則說到：我們都要努力做自我的省察，去觀照「道」的無私、無我的本性；進而，去追求身爲一個「眞人」的人生境界。

「眞人」照字面的意義來說，就是一個眞實的人，人唯有做一個眞實的人，他才能夠有眞實的智慧，以及眞實的去理解人生的蘊義。不然，心思混沌，便容易把積非成是的言語或事物，當成萬有的實質眞象，而任令自己一直生活在一種自欺欺人，或爾虞我詐的情境中。因而，在一個隱瞞實際眞相的情境中的人際交往或人際溝通，它就變成了一種間接溝通。

當代西洋的存在哲學之父——祁克果，就曾經說過：當我們在與他人的交往中，由於無法坦誠的交心，也就是沒辦法將自己心中的奧秘直接訴諸於他人的時候，儘管這種與別人的交往是一種不得已的舉動；它在實際上，可就是一種非直接的（即：間接的）交往。

就因爲我們經常處身在這種非直接的人際關係裡，祁克果指出，我們對自己本身的瞭解便將逐漸地淡忘。甚而，也會漸把我們和別人所應建立的正確關係，也一併地忘卻。結果，有人爲了滿足自己的欲望或目的，他就可能在有意、無意之間，逕把別人當作能實現他內心的欲求，或企圖的一個手段。例如：在當今現實的政治圈中，這種祇會把別人當成一己之私的手段的情形，就經常的發生。所以，如何成爲一個能眞誠待人的「眞人」，同時，也擁有一種能知己知彼的眞知，這當是現代的人所應力持的待人之理和待己之道。

莊子又說：不離於眞，才是至人。這裡的「至人」，當是涵指：一個能夠經常體悟「道」的存在，常在「道」中生活，並且矢志追求自然純樸，而力使自己成爲一個沒有

機心的人。

老子也曾經說過：一個擁有聖德的人，他的心思就要單純、摯眞、無欲，正像一個赤子，或嬰兒一般。這種人，人人也都會喜歡他。這是因爲，他並沒有沾染塵世間的欺瞞、詭詐，以及工於心計。他總是持心、修己，力圖使自己能夠回返到有如嬰兒般那種純眞、無邪的情態。反而，一個離開純眞、無邪狀態愈遠的人，他就會愈世俗、愈不眞實。終而，因隨波逐流而成爲一個無道的人。

老子在《道德經》裡，曾一再的強調：當一個人成長時，隨著閱歷，他對人世間的觀感也將逐漸的豐富。不過，他卻提醒說：我們的心思行徑，卻不可遠離於眞（中）。一個不離於眞的人，他定能夠對世上事物的生滅、變化有所認知。也因爲，他瞭解到其中的存在之理；所以，他也就是一個明哲的人了。

其實，對老子而言，萬物的存在，總承負著某種的規律。這種規律，當是依準於「道」的自然特性。就因爲萬事萬物無法脫離「道」的生化作用，也無法離卻「道」的

自然作爲；所以，可以說，萬事萬物與生俱來都稟有（天）「道」的屬性。例如：甘蔗，按照它存在的規律和個殊的性質，它長出來的結果，一定是甜的，而不可能在一夕之間突然變成辣的。

由此類推，任何的動、植物的存在，它必是依循其與生俱來的自然本性；或它那來自（天）「道」所賦予的屬性而去生存。而這，也是它的存在目的和力圖實現自己的主因。

所以，你看，野地裡的一棵百合花，看起來雖然沒有什麼知覺；可是，它的存在，卻有屬它自己的目的。這個目的，自是上天（道）賦予它的；好像想運用它這一朶花來裝扮大地，而使大地看來更加的美麗和秀氣。

莊子對天「道」與萬物的關係之體驗，也是這樣。上天、天「道」竟是如此的偉大；而來自於它的萬物，全都是依循（天）「道」所賦予的本性而各自率性去發展。

6. 認命、順命

從以上的論點看來，每一個人確實有必要去正視自己和看重自己。基於自己也就是一個眞正的精神我，人在處理他與自己，甚至他與外在事物的關係時，雖然他知道「變化」即是萬物存在的一個原理；可是，他卻更應該力使自己能夠和萬物保持一種相安無事的關係。這也就是說，他應該瞭解順乎自然的重要性，而不要刻意地企求去造作、破壞。

我們看看，整個中國自古以來的文化暨文明的發展，應足以讓我們產生這樣的一個意象：它極重視要在個人與自然事物之間建立一種恰當的，又和諧的關係。所以，在歷來中國人的心目中，維護大自然之美，不肆意去破壞大自然，並且屢屢把山川、林野當成是文人墨客之發抒其情愫或寓意的場所，幾乎已成爲典雅中國人的一種共識。此外，酷好美藝的人士，甚至，也經常把大自然界的千變萬化，融入到他匠心獨運的畫作，或精心構作的詩文中。想必，是要倚藉山林的千姿百態，或沉穩守恆的特質，去吐露他蘊內的情感、心志。

人，誠然已與自然不可二分了。就在人類與大自然的調和暨互動過程中，他將體悟

到：若要追求一種極高明的生命境界，就要繫賴於他能否「游心於淡」。這是意謂：一個人要能凡事處之泰然，不刻意強求，也不刻意去放縱。整個莊子哲學的重心，無非也是在探討這樣一個自由、無待又逍遙的精神化境。

再者，有關生、死之外的課題，有如：人世間的喜、怒、哀、樂……等情事，這在莊子書中也有相當多的記載。譬如說，人活著可要存有什麼樣的做人態度呢？針對這個問題，莊子仍然會跟我們說：你要以「道」爲你生活的中心。「道」，就是要泯除一切的紛爭和差別相。

想想，我們世上的人，爲什麼會因某件事（物）而起爭執，或搶奪呢？主要的緣由，大概就是：因爲你跟我不一樣，雖然我擁有了某些東西，而它們本是我的；可是，我還是想要擁有更多，又更多。而這，就是貪婪，就是要佔有。所以，佛教挺身出來說話了；它講無明、愛、取、有、生、老、死的因果論，以及闡明貪、瞋、癡的斷滅之道；說唯有了悟一切的實相，人才可解除他生存的煩惱和苦難。

至於莊子對存在人生的洞察，也有它獨特的感悟和發現：當人正面對風雨飄搖的人世變遷時，他就要反躬思考，且努力使他的行事爲人，多能契悟自然之「道」的無上要求。而它的生活原則，就是：

①順命

順命，就是一個人對自己的命運要有所認知；同時，也要對一般人性的有限性而有所知悉。這是因爲，我們天生的認識能力，或各種的行事能力，並無法完全順遂我們自己的本意。譬如說：「我要去臺北。」這件事立即告訴我們：我並不可能一飛沖天，就能到得了目的地。我還是要按部就班地一步一步走下山；然後去搭車，或者自己開車過去。而且，這還要花上一大段的時間呢！

由此推知，任何人面對他在人世間的生活，特別是他的苦難，他就應該有所覺知。所以，莊子就講說，人一出生就掉入在自己的形體之中；從而，便生活在這個人世間裡。可是，過了沒多久，他馬上仍要面臨自己的死亡。而這，可不是教人費解，又悲哀

的事嗎？

有一回，當莊子太太死的時候，莊子跳到棺槨上拿著盆子在敲，別人看到了，就問他：「太太死了，你爲什麼不悲傷呢？」莊子正色地回答：「這有什麼好悲傷的呢！自從她出生到世上來，她的死就已如影隨形。如今她死了，世上便少了一件煩惱、勞苦，還有什麼不值得人去慶祝的呢？」

由此可知，人生活於世，一定少不了會滿懷憂慮或疑懼。因爲，一般人多煩惱不知怎麼去營生，也擔憂自己的死；尤其是，面對自己親人的生、離、死、別，一定會覺得非常的疑惑、痛心。莊子說，一個人一旦無法認識這個生、死，他的精神我，就不能夠得到眞正的解脫和逍遙任眞。

所以，從莊子的人生洞察來看，人唯有透過「道」的角度，看到人是來自於「道」，也將回歸於「道」；這樣，他自己橫生的憂慮，就會慢慢地減少；甚而，逐漸地被超越。因此，莊子便說：「**人之生也，與憂俱生；壽者，久憂不死，何苦也！**」

（至樂・第十八）；又說：「**死生，命也！**」（大宗師・第六）

莊子自己是能夠看破生、死的；他感知到宇宙間日、月和旦、夕的變化，以及人的生命，是有他們自己存在和變化的定律。所以，他說：「**夜旦之常，天也。**」（大宗師・第六）

的確，自然的本性，就是不斷地輪替、變化；而人的自然，就是有生、有死。因此，莊子要說，人的生、死變化，就像是日、月的變化，而原就無足爲懼。「**人之有所不得與，皆物之情也。**」（大宗師・第六）就如：人面對許多不得已的事，如果他沒有辦法去處理，這也是人的命定和命運。而儘管這樣，萬物的本性卻是常存著；因爲，（天）「道」早已給了他（它）。爲此，莊子又說：「**死生存亡，窮達富貴，賢與不肖，毀譽饑渴，寒暑，是事之變，命之行也。**」（德充符・第五）

②知足

基督（宗）教也經常談到這一點：教人要保有一顆知足（感恩）的心。像它就認

爲：一個人家道的豐富，並不在於他財富的多寡。原因是，如果一個人很有錢，不過，他卻是取之無道；雖然看來像是很富有的樣子，可是，它們都是一些不義之財。那有什麼值得誇示的呢？

今天，在我們這個社會裡，有許多人的想法，都祇是重視自己財富的累積，而不屑於去探討它是否取之於合理、合法。他們總是認爲：人要有是錢，他才會有身分和地位；結果，就造成了自己人格的偏差及對人性的扭曲。就像：有人只會笑貧不笑娼；有人爲了獲得財富，而不擇手段地使詐。甚至，更有人只會昧著良心，儘做些違背倫常、良知與法律的事。

其實，人一切的遭遇，誠如莊子的自述：人的死生存亡、窮達富貴、賢與不肖、毀譽饑渴，都如同四時的變化，是有它本身的定時和定限的。而這，就是天道、天命之在萬事萬物身上運行的結果。因此，他詰示我們不應該太刻意去變更它；唯有多察知天道之理，便能夠安素守常，知足常樂。

這件事，則讓人聯想到孔子有一個頗得意的學生，他名叫顏淵；他就是這麼一個能夠看淡人世名利，而守貧守道，作一個懂得知足常樂的人。顏淵他這恬淡人生的情懷，歷代以來，可說不知羨煞了多少的士人君子。

孔子曾經說過：「**人能弘道，非道弘人。**」（論語・衛靈公第十五）這是表示：人能夠將「道」的本性發揚光大。由於人都來自於「道」的造化，所以，他應能夠有正確的認知；也就是能夠主動體驗出「道」的自然本性，並努力與之合而爲一。而和孔子的認知不謀而合的莊子；他所提述的眞人、聖人、神人或至人，則都可說是一種體「道」、行「道」的明哲之士。

總之，萬變是不離其宗的；而變，就是事物的本質，也是事物之存在的規定。《易經》的主張，也是如此。譬如，它講到的生生之謂易，也指出：萬物本身，就是不斷地在創生又創生。而這，也便是莊子所體悟的「（萬）**事之變**」、「（天）**命之常**」的恆常眞理。

③知命

人面對自己的命運，既然是無奈的，而且又帶有許多的煩惱和憂愁。對我們而言，想必每個人都想瞭解自己生命的本質；甚至，更想去知道，自己死亡之後會變成怎麼樣的一種情狀。就此，莊子即提到：此間，人就要「知」命了。

可是，人的欲望，確實是了無止境的啊！他不祇想去知道，想去瞭解生存世界的一切，也想瞭解死後世界的一切；所以，我們世上便出現了各式各樣的哲學家、宗教家和神學思想家……等。他們全都立志想去究詰生、死，並且更想探討在「存在現象」之後的本體世界，或存有世界的眞象。

莊子在〈養生主〉中則曾經談到：「**吾生也有涯，而知也無涯。**」這裡的「涯」，就代表著：「有限」、「涯止」的意思。這種說詞，就是對一個人的生命的本質有所認知；即認識到：個人，畢竟是一種有限的存在（個體）。個人，就是一個有他自己的死亡之大限的人。

當代德國的存在暨存有哲學家海德格，也曾經講過：個人，即是一個走向他的結束的存在，一個走向他自己的死亡的存在。由於人都會死亡，都有他生命的極限；所以，身爲一個有限的人的生命意義的展現，當只能夠在他那有限的生命幅長中來作展現。因此，你的或我的存在意義，實質上，也總是有限的。不過，儘管這樣，人卻一直想將它加以發揚光大，擴而充之。所謂：「立德、立功、立言」，應可說是它的一種具體的實現。這就是人類的旺盛企圖心，也是他的不斷實現自我的展示。

的確，「吾生也有涯，而知也無涯」，這是一種實情。我的生命雖然是有限的，但是，在認知上的欲望及需求，卻是沒有限制的。

爲什麼說：我們的認知並沒有限制呢？這是因爲，我們擁有一種獨特的精神生命。儘管在肉體上，我們都有飲食的需要和對物質的需求，這在條件上就會來限制我們；尤其是，在個人肉體生命的延續上，我們總會碰到損傷和有死亡的可能性。可是，我們人類獨特的精神生命，就潛能而言，卻是永無止境的。

古希臘的哲學家亞里斯多德（Aristotle, 384～322B.C.）在他的《形上學》一書中，開宗明義便提到：**「人類天生下來，便渴望求知。」**指出：人總是不斷的提出問題，不斷的尋求適當的解答，好滿足個人心中的困惑，以解決自己內心的謎團。但是，我們知道，當一個人得到某個解答之後，到了明天，他可能又有另外一個問題產生了。所以，他會一直不停地追問下去，不斷地想要得到最新的解答：這就是人之常情。

想必，就是因爲這樣，人世間的學問才會進步，而且科學也在日新月異。爲此，人類的思想，自然而然便更加的突飛猛進了。

亞里斯多德

但是，話又說回，人的生命畢竟是有限的；而同時，他的欲望卻時常是無窮無盡的。這不是相當的矛盾嗎？而痛苦，就因此產生了。所以，莊子在言述「吾生也有涯，而知也無涯」之後，又剴切地說道：「以有涯隨無涯，殆已！」

是的，人類的生命，是有它先天上的限制，而他的求知欲望，偏偏又想發展到無限無止的境界；就是指：他企想用有限的人的生命，去追逐那無限止的知識瀚海，這不是遙不可及，又好高騖遠嗎？如果眞的是這個樣子，我們不就永遠無法饜足，而一直生活在煩惱裡與愁慮中了?!

④**養生**

除了面對人的命運要「知命」之外，莊子還注意到「養生」、「養命」的重要性和迫切性。養生，就是在不違抗命運、順著自然的變化而去因應它，並調養自己的生命。在這種順命、養生的過程中，則需要守道和修道；也就是，要善待自己的生、死。

莊子說：「**夫大塊載我以形，勞我以生，佚我以老，息我以死。故善吾生者，乃所以善吾死也。**」（大宗師・第六）這在顯示一件事實；就是：天地（自然）生養我，讓我得以存活在這個世界上，並且要我整個生命，得在不斷地勞動中以求溫飽，以求維續。接著，在我老年的時候，則能偷得幾日的安逸與休閒。最後，當我離開人世諸多的

煩惱與各種勞碌時，又能使我靜寂地在「道」的大化之中安息。

祇是，莊子的這種順命的生死觀，卻已涵示出：養生、養命，當是一個人要活在「道」中所該持有的工夫。這種的養生工夫，同樣是要求著：要人能夠不離其眞；也就是不能離開「道」，而且要努力作成一個「眞人」。最後，他才能夠得到眞知。

‧心齋、坐忘似瑜珈

據筆者所見，莊子在「養生」這個課題上，可帶有了某種的宗教情懷。由於他強調精神我、情意我的存在，並且重視對這精神我、情意我的培養；爲此，有人就想要問：究竟要如何培養它呢？對於這一點，我們知道，它並不是思想上的想像，或倚藉思辯就可以達成。更重要的是，要有某種的行動以爲配合。就如同印度教一向即強調瑜珈、打坐，試圖倚藉肢體的運動，好讓人的意志能更爲集中。莊子哲學所帶有的工夫（論），就是要人倚藉身、心的調息，凝神，聚氣，以圖達到自我精神的專一。這種要從身、心上下工夫的修持法，或養生法，莊子便稱它作：心齋、坐忘。

我們都知道，世上有許多的宗教都會要求它的信徒，在一個特定的時期，要進行齋戒或沐浴。在齋戒期中，則要特別注意自己的身、心和飲食；尤其，更要使內在的欲望減到最低，以保持內心的清淨。

如同上述這種的宗教的清修，莊子所提出的心齋的工夫，也是要做到個人的內心能夠專一而無旁騖；不要貪圖，而要虛己，好讓自己的內在保持在一定的清明狀態下。所以，莊子說：「**若一志，無聽之以耳而聽之以心。**」這是指：在心齋中的人，心神要能專一而且集中。又說：「**無聽之以心而聽之以氣。**」這是指：在心齋中的心，也要以氣（動）的觀點和立場，去諦聽萬有的脈音。

由此可知，莊子不是重視一個人外在形體的修持，而是強調一個人內在眞正的修爲。爲此，他又說：「**聽止於耳，心止於符。**」這是表示：人的耳朵只能聽到聲音，唯有內心的活動，才能夠形構出一種圖像、意念，以便對外來的刺激加以因應和轉化；而最後，則仍要以個人內心的修持作爲最高的指標。因此，他結語道：「**氣也者，虛而待物者也。**」

在莊子看來，氣，雖然人人都看不到；不過，它卻充沛於人的身、心之中。莊子曾說：當一有外物前來引動我們的內心時，我們便可以用這個凝有虛氣的心來作因應，而不致玩物喪志；唯有如此，人才能夠使自己保持一個原始的生命情懷。爲此，一個有道的人，是一個能作心齋的人。莊子又說：「**惟道集虛；虛者，心齋也。**」這是因爲，一個在「道」中生活的人，他一定會體會到凝神聚氣的重要；因此，便會以去欲、收神的方式，來保持他內心的澄明和自謙。

再說，一個會勤修內心的人，外表看來，似乎是一無所得；其實，他的內心卻是非常的充實。這應該就是老子所講的大智若愚的人了。「大智若愚」，當是在比擬一個看似無爲，而其實卻是一個有守、有爲的有道的人。由於忽略外在，而在實質上，則是十分看重內在；這樣的人，他的內心，可說是充滿了卓越的知識與智慧。因爲，他的內心洋溢著「道」的意識；所以，便能夠用明智的心識去認知，並因應外來的一切。

的確，如果一個人能讓自己凡事謙虛，不強與別人爭競，反而能夠處處爲別人著想；那麼，這樣一位不爭強、不愛出風頭，又能含蓄內斂的人，眞可說是人人敬仰他都

嫌來不及，又怎麼會想去陷害他呢？所以，我們看到，當今社會上那些風頭很健，又好與別人競爭而爭得頭破血流的人，經常就會招來很大的虧損；甚而，惹禍上身。

順命、養生，這對莊子來說，應可視爲：面對上述這種存在情況時的最佳因應之道。

⑤復命

一個能順命的人，他就能夠體天行道；能養生的人，他就能夠凝神聚氣，並且進一層游心於道化的妙境。又，這樣一個能隨時因應外界的變化，並持定己心的人，他也便是一個「聖人」了。因爲，他是以道心悠游地面對天、地間一切的變化，而不會自亂陣腳，不會手足無措；反而，更能夠以智慧去從容因應。

莊子又說：人人應當順道而生，順道而亡。這是一項智慧的洞察。即洞見到：雖然在人的生命裡藏有它的苦難與煩惱，可是，人卻不用去規避它；反而，更要以平常心去順應它、習慣它。這樣，藉著因勢利導，他就可能達到所謂欲望的無待狀態，而與「造

物者」（按：道）同其久遠。當然，這種類似於能夠游心太虛之中、六合之外，並天地之上的馳騁自我的精神生命，它的動力是永無枯竭的。因爲，它是出自於「道」，在「道」中逍遙生活的寫照；至終，則仍必回歸於「道」。

我們認爲，莊子的這種觀點，無非是老子哲學的翻版。像老子就講過：「**歸根……，復命。復命曰常；知常曰明。**」（道德經．十六章）在老子的心目中，身爲一個明哲的人，他就應當曉得：天地萬物全是來自於「道」，又將回歸於「道」。「道」，就是自然；也就是能順應其本性的眞，而無所矯揉做作的「道」。

又，先前所提，莊子所追求的眞人、聖人、神人或至人的人生境界，以及這種人的整個生命情懷；爲此，則可以說，都是發自「道」的潛移默化之功。

基於上述這種觀點，反思剛才我們所談到的莊子的「坐忘」，其實，它也是一種道德修持，或者擬宗教的修行工夫。它的內涵，就是要一個人將他肢體的欲求暫時擱下，不去提起它；反而要低垂它，把它擺到另外一邊去。莊子也說到：「**黜聰明**」，這同樣

是表示：要一個人將機巧、機心去除掉；如此，才能夠使他的人生追求，確實達到一種離形去「智」的無上境界。也就是，要他將刻意的矯情、做作加以擺脫；最後，才能進於大「道」，同躋「道」的世界。

以上，是莊子對一個人生命滿全的解釋。以他的觀點而言，如果一個人能夠獲得「道」的本性智慧，並且也知道什麼是安樂？什麼是死亡？特別是，更能眞正瞭解生命的眞象，也就是對自己本身的有限性而有所認知，因而去順應他人生中的一切逆境和困境時；這樣，他就是一個能自覺自我，並且已活在眞實自我中的「眞人」、「至人」、「神人」或「聖人」了。

⑥品評莊子

綜攝地說，莊子是一位思想非常具有超越特性的哲學家。他受老子哲學的影響，認定：人，這個存在，乃死、生由命。而就在面對人的死生、富貴或窮達時，他說：我們要達觀、要認命，因爲死、生早已是命定了；所以，教人只好要順命。我們認爲：莊子

的這種思想，堪稱是頗具特色地代表中國人典型的人生觀和價値觀：對於自己的生、死不要太強求，反而要能順應於自然。因爲，人的死生存亡、窮達富貴、賢與不肖、毀譽、饑渴和寒暑……等，都是萬事萬物變化中的一環，而不足爲懼。

他又指說：「**夫大塊載我以形，勞我以生，佚我以老，息我以死。**」這確實在說明：天地（自然）蘊育了我這個形體；所以，當我活著之時，就要順乎自然，不斷地以勞動來維續己生。而當我將老死之時，我就能夠長眠安息。而這，當是涵指：一個懂得「善吾生」者，則必也是一個能夠「善吾死」之人的生活寫照。因爲，只要人好好地對待上天賜給他的這個身體生命，在勞動時就勞動，要休息時就休息，而該死的時候，就面對死亡；這樣，他就是確切扮演了他之身爲一個人的角色。由此看來，對莊子而言，人的生、死，因爲像極了日、月、旦、夕般的變化，而無足教人驚懼。因爲，人或悠游於生，悠游於死，悠游於出和悠游於入，這完全是出自於「自然」的作爲，而不必疑慮。

的確，生與死這兩件事，就是這麼自然的事；不過，對於每個人的人生而言，還應

當視它們爲很大的事情呢！所以，莊子又說：「**死生，亦大矣。**」這可是頗堪令人玩味。

總之，對莊子來說，重視生、死是一個人認識自己的先決要件。而在認識自己的生、死一事上，他又不可忽略「道」之與每個人的緊密關係。就因爲有「道」意識的介入，人若有知「道」、行「道」的熱情，他就能因此而建立超越生、死的洞察，並且由之以獲得無憂、無懼的平和心靈。莊子所謂的：「**人之生，氣之聚也；聚則爲生，散則爲死；若死生爲徒，吾又何患！**」（知北遊・第二十二）即道出了人之生，便是由一些精氣凝聚而成，而有生命的表現；氣一旦散去，人就死亡的存在眞理。這種生死、死生相續，又相承，是一件非常自然的事，人又有什麼好害怕的呢？

話雖是如此，身爲一個古代的明哲之人，莊子確實是把生、死看成是一件人生的大事件。如果莊子不重視生、死，他就不會在作品中大肆地去描述人的死亡。祇是，描述儘管去描述，他所強調的，卻是以人要墮形體，也就是由「喪我」的工夫做起，俾使人的自我意志去超越感覺、欲望的宰制。

最後，才能使人內在的精神，達到「不死不生」（大宗師・第六）的無上妙境。

總結的說，莊子是一位哲學家、形上學家兼美學家。由於他極看重人的生、死，而且也多有這方面的探討，致使有人認爲：他的生死哲學，可當成當代西洋的存在主義的先聲。因爲，對於生命，對於死亡，對於人類存在的憂慮與不安，以及對於如何面對人的命運……等，是整個西洋的存在主義或存在哲學一向所關心的課題。

二、釋迦牟尼

1.生平和事蹟

釋迦牟尼（Sakyamuni Gautama, ca.564～485 B.C.）是古代印度的一位哲學家、智者，也是佛教的創始人。當代德國的存在哲學思想家雅斯培，就曾經把釋迦牟尼推稱爲：世界上偉大的四大聖哲之一；而與古中國的孔子、古希臘的蘇格拉底，以及猶太的耶穌齊名。

現在，我們要來談談他的生平，以及他對生、死的一些看法。

釋迦牟尼的生平，可以說是相當的傳奇。他出生在中印度北部，相當於今天尼泊爾（Nepal）的南境；本姓喬答摩，名悉達多，是釋迦族人。釋迦牟尼原爲貴族家世的成員，很早就結過婚，有個兒子叫羅怙拉（Rahula）。據文獻記載，釋迦牟尼曾接受過古

印度婆羅門教（按：現今的印度教之前身）的貴族教育。

在那時候的貴族教育，基本上是教導有神論的宗教思想；這種有神論的宗教思想，也稱作：多神論（教），或者是泛神論（教）。換句話說，古印度的婆羅門教和現在的印度教一樣，同樣是相信宇宙中有神明的存在，而且是多神。再者，他們也認爲：神（明）與世界之間是存在著一種不即不離的關係。因爲，這整個世界即是神（明）的化身，而且與神（明）同質、同體又同性；所以，學界人士就稱它爲一種泛神論。

這古印度教的泛神論，即主張這個世界，是來自神（明）化身的結果；所以，在它看來，人們所認識的事物，包括：動物、植物、礦物、聖徒、英雄和偉人……等，都可視爲衆神自體生命的展現或分身。

不過，這種觀點，卻和猶太暨基督（宗）教有所不同。猶太暨基督（宗）教乃篤信唯有獨一眞神存在的一神論，也就是認定：這個世界，即是來自眞神大能智慧的創造；一切的事物，均可視爲受造之物。而且受造之物，全會隨時間、空間的演變而改變。猶

太暨基督（宗）教的《聖經》，甚至記載：這個世界，因罪惡的緣故，終有一天會被眞神所毀滅；在世上的人類的生命，也都難以倖存。

由於古印度的婆羅門教曾經主張：大千世界和人都是神（明）的化身之產物；所以，在年輕時期的釋迦牟尼，當然是學習過，並且也認識到這種思想。可是，他卻不能接受有神論的觀點。因此，他在後來便以改革者的姿態崛起，而創立了以無神主義爲主體的（原始）佛教。

從此，可以說，原始佛教，基本上就是批判地改造了古印度婆羅門教的思想，而力持一種以「人」爲其本位的解脫哲學。譬如說：它並不接受古印度婆羅門教的神（明）觀，也不接受它的神我論，以及有關人有自我的主張。不過，卻是接受了前者的業力、果報和輪迴……等學說。

談到釋迦牟尼的出家學道，他在年輕時原是迦毘羅衛城主的兒子，也就是一位王子。據說，有一天，他在城門口看到他的子民們的生、老、病、死等現象，而令他驀然

憬悟到人生變化的無常，以及世事的難料。終於，他便選擇了出家一途，以圖解救衆生。他在三十一歲時成道；成道之後，曾在恆河流域上游一帶敎化衆生。當他成道的時候，悟得了不少崇高的佛理。

2. 無常

在有關人生諸事物的理解上，可以說，釋迦牟尼對所謂的生、滅現象，有他極爲獨特暨深刻的感受。他是以「無常」來說明事物的生、滅現象。

其實，根據我們對原始佛敎的瞭解，「無常」應可視作是整個佛敎的核心觀念。但是，在這「無常」之中，或者之後是否還有所謂不變的東西呢？當然有。祇是，佛敎並不講中國道家所說的「道」；佛敎則是以「眞如」來稱呼。看來，對（原始）佛敎而言，「眞如」才是眞正的本我或自我；這可相當於猶太暨基督（宗）敎所講的那不朽的「靈魂」，或者是道家的莊子所認同的「精神我」或「情意我」。

談到一個人的修持，（原始）佛教也同樣主張要隳形體、去欲望；所以，它說四大皆空，並且勸化世人要謹戒貪、瞋、癡。因爲，在它看來，人世間的一切皆在生、滅變化。在這生、滅流程中所出現的名利、財富、婚姻、家庭、親情與倫常……等，都會時刻變化，而並非常在的。這就是「無常」。

所以，我們可以知道，對於所謂事事皆「無常」的認識，是當初釋迦牟尼之要出家，求道、尋道、證道，並傳道和揚道的一個重要的因緣。

在釋迦牟尼生前的教化裡，他曾經談到三法印、四聖諦、五蘊、八正道，以及十二因緣……等佛法。現在，我們先來看看他所說的苦、集、滅、道這四聖諦的要義。

什麼是苦、集、滅、道？釋迦牟尼說：萬事萬物因爲無常，所以會苦；以人來說，人因爲有生、有死，所以人生無常。佛教的教義說道：我們世人一旦有執著心生起，他就會陷入各種苦（難）之中。譬如：有人受愛情的困擾；有人受事業的困擾；有人受升遷的困擾；有人受養兒育女的困擾；有人是受到同學、朋友誤會的困擾……等。這一切

的一切，都會導致一個人身、心巨大的痛苦。因此，從以上的事例看來，可以說，人間的苦況，是有非常多的種類的。

據我們所知，佛教曾將人世間的一切苦況歸納成了八大種類，包括：生、老、病、死、怨憎會、愛別離，以及求不得等。

此外，佛教也提出所謂的三法印；這是早期釋迦牟尼經過修行、觀照時所體證出來的人世眞理。它揭示著：**諸行無常，諸法無我，和涅槃寂靜**。從這個角度，我們應可揣知：佛教對一個人生命的主張，當在於：鼓勵他要看穿萬事萬物的無常性、無我性，而去追求「涅槃」這一寂滅一切的最高境界。

人應如何追求「涅槃」呢？就是要由滅諦以達到道諦這一修行的目標。

3. 十二因緣

再者，原始佛教，也有關於十二因緣這種佛法或佛理的提出。而在對十二因緣的洞

察中，它即建立了所謂的順觀與逆觀這兩種觀見的法門。十二因緣，就是指：無明、行、識、名色、六入、觸、受、愛、取、有、生、老死。

順觀，就是由「無明」往下推而觀見到老死的一種見道之法。因爲有「無明」，所以，導致人有生、有老死這個必然的結果。而逆觀，就是由人的老死往前推，即往上推而觀見到「無明」的一種見道之法。透過這種觀見法，就能發現人之所以有老死，最主要的原因，便是由於「無明」的緣故。

由此可見，由（原始）佛教的立場而言，「無明」便是人類之所以難以解脫其生、死的主要關鍵。因爲，人的一切悲苦，追根究底地說，就在於他一直渴愛著「無明」。

原始佛教的教義說道：在「無明」之外，並無五蘊。五蘊，就是指：色、受、想、行、識。又說：凡具有心、物合一之特質的有情眾生，也都是由這色、受、想、行、識五大因緣所構成。色是指物質；受是指感情；想是指表象、思想；行是指意志；識是指意識與悟性。這五蘊（**包括每一蘊**）完全是假我；任何人一旦執著這五蘊，或其中的任何一蘊，便會產生煩惱，便會立即陷入苦況中。所以，佛教說：**人生的一切悲苦，都來**

自於一個人的執著、貪戀，以及欲愛著「無明」。

既然在「無明」之外並無五蘊，五蘊之外也無「無明」；那麼，「無明」又是什麼呢？針對這個問題，它確實很難做實質的理解。不過，卻有話這樣說：「無明」就是指業身尚未活動，也還未開展出來的一種原始狀態。它一旦開展出來，便稱作：「五取蘊」；它即能呈現出現實世界中有情組織的本相。

其實，對佛教來講，有關「無明」和「業」的認知，是很重要的哲學觀點。因爲，人總渴望「無明」；所以，他總是一直陷身在這世界的八苦中。而且，也因爲人有苦況、有煩惱，凡事、凡物又無常；所以，他就永陷入生、死的輪迴中，而難以自由的解脫。

再者，剛才提到的十二因緣，可以說是所謂四聖諦的擴大。這裡的四聖諦，是指：苦、集、滅、道這四種出自所謂聖者口中的眞理、眞知。如果能從佛教的輪迴觀點來看，這十二因緣，則是牽涉到三世（即：過去、現在與未來）二重因果；而「無明」與

「業」，便是前世的二因。

至於人在今生、今世之所以有這種業徵，是因爲：他在前世已有了業力。換句話說，人在今生、今世之有這樣的一個「我」，是因爲他在前世已種下了某種的因；而「無明」與「業」，便是造就他在今世的一切的兩大原因。

佛教又說：愛、取、有是現世的三因，而識、名色、六入、觸、受，則是現世的五果。人在今世裡，會因爲愛、取、有；所以，他一看到好東西，就會喜歡上它，想得到它，想佔有它。結果，即陷入了貪、瞋、癡的煩惱苦海中，而無法出離老死。這樣一來，他便是一直深陷生、死輪迴不斷的運轉中。

原始佛教說：一旦人在今生、今世種下了什麼因，他在來世也會得到什麼樣的果報。

4.死亡觀

釋迦牟尼對人類存在之無常性的發現，的確是獨到的；而他對死亡的看法，也是如此。在他看來，「無明」和「業力」宰制了現世的人。一旦人無法明見自性，因而不斷地去造業；那麼，他就會獲得應有的報應。所謂今生、今世不斷地在生、死的輪迴中，就是在指：不識自性的衆生（按：人）的可憐命運。

那麼，人應如何做，才可能脫離這生、死呢？他說：你就不要貪、瞋、癡；不要渴愛「無明」；也不要去妄執（執著五蘊），你就能夠破空、破我執。再者，你若能發現苦的原因，也就是渴愛「無明」，因而竭力脫離貪、瞋、癡的一切欲求與貪婪；那麼，你就能夠達到解脫煩惱的境地。

釋迦牟尼又說：人生因無常而每有煩惱，而且「無明」、貪戀與執著，又經常由心、意橫生；所以，唯一的解決辦法，就是要靠自力修行以求得眞正的解脫。

這裡說的修行，當是指：智慧的修行；也就是要透過八正道——即正見、正思維、正語、正業、正命、正精進、正念、正定——的修行。此外，還有所謂的戒（持戒

律）、定（修禪定）、慧（以淨智諦，洞見萬有的本然真相），作爲修行的歸結。

的確，任何人是沒有辦法逃避死亡的。死，這一條路，是每個人必須面對和必經之路。有生，就有死，顯然已成爲任何一個活人的存在命定。據說，釋迦牟尼在去世之前，他因病而躺了下去，正如同一隻休息的巨獅。那時，當他臨終之前，曾這樣跟他的弟子阿難陀說：「你不要難過，不要哀傷，不要悲嘆，我不是告訴了你嗎？我們一切親近、心愛的東西，本來就是會消失的，這是爲什麼呢？阿難陀！因爲，任何的東西，它本身都有消滅的必然性，這樣的一種存在，如何能不被消滅呢？」

當他的門徒正擔心他們偉大的導師死去之後，沒有人能引導他們尋找人生的道路時；於是，釋迦牟尼這樣說：「你們不要有這種想法，我說的佛法和戒律，在我走了以後，依然可以引導你們的……。我的旅途已經結束，我已經八十歲了！」他說：「喔！阿難陀，你要照耀自己，信賴自己；你要緊握眞理，如同一盞明燈，單獨在眞理中尋求解脫。」他最後的遺言，只有這麼一句話：「一切成就皆無常，精勤修行莫放逸。」然後就圓寂了。（參雅斯培：《四大聖哲》，自華）

5.未來觀

由以上的論述看來，既然人存在的眞相是這樣——無常、煩惱，又有苦；那麼，他應如何才能找到比較是屬於永恆的東西呢？或者說，到底有沒有永恆之物，或者實在之物？這個問題，顯然是佛教哲理的課題之一。簡要的說，對原始佛教而言，它既然否定神（明）的存在、否定靈魂的存在，也否定自我的存在；那麼，它還有什麼呢？據說，它強調：唯有佛性、眞如，或識這類的事物，才是眞實的東西、永恆的東西。而由於這個世界總有一天會過去，因而，它便講往生、淨土。又，人一旦離開了這個世間，死後形體也會消滅了，那還有什麼能存在於那個往生的世界。它就是佛性、眞如，或識。

關於這一點，猶太暨基督（宗）教則認爲：祇有靈魂，才是能承受永恆（未來）的眞我。因爲，一個擁有靈魂的人，一旦他相信了神，而且在他生前又能恆守神道；那麼，當他死了以後，他的靈魂，就要與眞神同在快樂的天國。那天國世界，當然是一個永恆常在的世界；是經過末日大審判之後，那些行義得救的人所要去的所在。至於作惡而不能得救的人，卻要到永劫的地獄裡去。這些人並不是精神死在那邊，而是他們的靈

魂，要在那邊一直接受永遠地獄之火的刑罰。據說，那裡還有永不死的蟲在啃食著人呢！這時，時間當是永無止盡的。任何一個罪人，在那裡都沒有超脫的機會和可能。

談到和原始佛教力稱的輪迴世界乃極端不同的猶太暨基督（宗）教的天國世界，有人不禁會問說：基督（宗）教的永生天國，既然不同於這個世界；那麼，它不是一個具體的世界，這不是很無聊嗎？其實，基督（宗）教所說的那個世界，雖然是無人可以想像，無人曾經見過，也無人曾經去過；但是，基督（宗）教卻把它當成人類靈魂的永遠「家鄉」，是一個好得無比的未來世界。至於說怎樣「好得無比」，它也祇能說：它是好得難以人世間的言辭去形容。

6.正智解脫

據說，釋迦牟尼生前在講述佛法、佛理時，對於那些極具深奧哲理的問題，則不太刻意去思考。就如他的弟子問他很多玄深的問題，他並不想去回答。

且舉個例子來說；當時，有一名門生問起：「宇宙到底是不是永恆的？」他則靜默不言。他不說：是永恆的；也不說：不是永恆的。門生又問：「宇宙是有限的呢？還是無限的呢？」跟著再問：「身與心是相同的？或者身爲一者，心爲另一者？」他也一直不回答。門生接著追問道：「如來死後是存在的呢？或不存在？還是：存在又不存在？或者是不存在，也同時不不存在？」他照樣不回答。

想想：從現今的學問的角度而論，以上這些問題，可說是一些非常形上學化的問題。今天，有很多唸哲學的、唸科學的、唸神學的，乃至喜歡思辯的人，就喜歡專挑問這些難題。特別是，那些唸科學、哲學的人，一定總要問到滿意，以及得到相當服人的解答之後，才會考慮他下一步的行動：或做這或去做那，還是要信這或去信那。我們認爲，這種人顯然是離開佛教所講的「慧根」已很遠的人。更不用說，他也是難以接近原始基督（宗）教，或進入基督信仰之殿堂的那種人。這就像筆者在教學中所碰到的一種人一般。

記得以前，在那時候，有學生問起：「老師！你教〈宗教與人生〉，我想知道，你

是如何看《聖經》的呢？」我說：「你是唸什麼科系的？」後來，得知他唸的是理工。我就問：「那麼，你唸《聖經》要做什麼用？」他說：「我是想找出它的缺點，以科學觀點來批判它。」我便這樣回答：「你的基本心態，並不是一種宗教信仰的心態，而是理性主義者的科學心態。那樣的心態，是永遠看不懂《聖經》的。因爲，《聖經》的內文記載，主要是寫給那些有信仰，而且肯虛心、謙卑的人看的，並不是爲了那些唸哲學、好思辯的人看的；更不是要給科學家來論證它究竟是與《金剛經》一樣，或不一樣的。再者，如果它在講創造論，你就應該把你那極富優越感的文化心態、理性心態，或知識分子的心態暫時撇在一邊；要很謙抑地，有如道家老子所提到的『虛懷若谷』，要用這種心情來看《聖經》。而且，要從頭到尾的看，儘量一遍又一遍的看。如果看完了，而且對它的內容大概有了些許印象之後，你才可能找到它的毛病，也才能夠去思考：爲何它要如此寫呢？而不是那樣寫呢？不然，如果爲了想儘速徹底的瞭解，就很快找出疑問來詰難，這未免是太斷章取義了些。」

話又說回，釋迦牟尼在生前所追求的是涅槃解脫。而說眞的，他的這種智識解脫

法，和我（中）國儒家、道家的工夫路徑，則頗爲相像。祇是，它是以「無神」作個人修持的人生背景。儒家孔子所重視的，是有「天」的思維（即要人敬天、畏天）；接著，是要有德行的修養；道家老子所追求的，是要人與「道」合而爲一；而莊子所嚮往的，則是要作眞人、至人、神人或聖人。特別是，道家的莊子，則注意到修持是要倚靠某種肢體行動的配合（即：心齋、坐忘）。這種肢體行動，像極了古代印度（婆羅門）教所倡導的瑜珈（YOGA）的修持方式。因此，我們大概可以這樣說：在中國古代，即有類似瑜珈的修行方式。

說來，莊子講心齋、坐忘，他是要人枯坐、專意，持心而不暴其氣。這也是指：靜坐而不要妄想；不要有貪念；要讓自己的內心沉靜下來。一個人祇要作了心齊、坐忘的工夫，即不讓自己的內心心猿意馬般地東跑西竄；這樣的專注精神世界、逍遙世界，那他就能夠得到眞正自由、解脫。這就是道家莊子的解脫哲學。

釋迦牟尼生前所強調的解脫哲學，也應是這個樣子。即：透過靜心、冥想、禪定，而達到證得所謂無上正等正覺的悟道的最高境界。據記載，他是在菩提樹下悟得十二因

緣的佛理；他也成道、成佛了。至於「佛」是什麼呢？如果根據字源學的觀點來說，「佛」一字的原文是：「Buddha」，原意爲：覺者（the conscious man）；也就是一個深深意識到自己而有意識的人。特別是，他是以個人的心智力，意識到了爲何人要經歷他自己的生、老、病、死；而且，更意識到：這是每個人所無法逃避的人生經歷。

當然，經過仔細的體悟，他即認定：所謂的「無明」，便是人來到這個世界最主要的原因。而爲了要能解脫「無明」的束縛，他說，人就非要靠自己內心的修持不可。他必須靠打坐、念佛、禪定和苦行的工夫，讓自己不能去貪、瞋、癡；且要斷絕一切的煩惱；這才是得道的無上正途。

因爲，在佛或覺者看來，人世現有的一切，尤其我這個人，即是由五蘊（色、受、想、行、識）所構成。而人身外的一切事物，則來自四大，也就是由地、水、火、風這四種因緣要素所和合而成。由於這一切的一切，都本無自性，都無眞實本體；那麼，如果有人想去追求現世的一切，這無非是庸人自擾、自貽伊戚罷了。

7. 淨土聖境

釋迦牟尼死後，經過了一段時間，他的信衆才開始整理他的思想。但是，由於觀點的不同，在他的門生之中，隨即出現了衝突的局面；因而，則導致了原始佛教的分裂。首先是，在釋迦牟尼死後一百到一百五十年期間，他的弟子群，便形成了兩大派：一派叫做上座部，另一派稱做大衆部。上座部，相當於佛教的高僧階層；而大衆部，則相當於販夫走卒那些平凡的信衆。而當上座部的高僧開始追想，並且整理他們的師尊所講的那些佛法或佛理時，因爲記憶深淺的緣故和教理的詮釋出現了分歧；所以，在他們之中，便產生了不同的思想門派。至於在大衆部這個平凡的信衆裡，由於他們也重視清理師尊說法的內容；因此，他們也和上座部一樣，在彼此之間，也因爲詮釋上的差異而出現了派系的現象。結果，這時的佛教信仰，便開始進入了部派佛教的發展階段。

部派佛教也越分越多，他們之中甚至有人前往中國、錫蘭和中南半島……等地去傳播佛法；後來，便衍生出所謂有大乘與小乘之別的佛教門派。

在教義上，小乘佛教，是比較拘泥於傳統的教規，以自掃門前雪的心態，重視個人的修行；至於大乘佛教，則比較開放，而能接受新的哲學觀點。它強調：衆生平等、解脫，以及「我不入地獄，誰入地獄？」的慈悲濟世觀。據歷史記載，傳入中國的，大多是大乘佛教的派系。相傳，在漢朝時代，佛教即已經進入了中國。之後，且由中國東傳到韓國、日本。在中南半島和錫蘭那一帶的佛教宗派，則傾向於小乘佛教這個系統。

佛教的教義和它的經典一樣多，而且又複雜。它認爲：如果人要追求個人生命的解脫，或洞察事理的眞相；那麼，他就必須積極研究佛學和修習佛法。我們知道，傳入中國的佛教派系，可說是非常的繁雜，有：淨土宗、天台宗、華嚴宗、法相宗、律宗、密宗、三論宗、禪宗等八大乘宗派，以及俱舍、成實二小乘宗派；唯小乘在後來即趨於衰微。

佛教追求的最高境界，就是「涅槃」；人死它稱爲：圓寂；也稱：涅槃、入滅，或寂滅。不過，「涅槃」是指什麼呢？或表徵什麼呢？據傳，釋迦牟尼曾經說過：在涅槃聖境中，並無地、水、火、風四大。因此，由地、水、火、風這四大所構成的世界，便

無涅槃，也不是涅槃，而是假象；所以，人不能去執著。一旦有人執著了，他就會立即陷入自作的煩惱中，而永遠無法脫離生、死輪迴的夢魘。

涅槃聖境，釋迦牟尼說：它既不是由地、水、火、風這四大所和合的假象，也不是無限空間的界域，更不是無限意識的領域。又，它並不是空的領域，也不是既非意識，也非無意識的領域。在涅槃聖域中，它既無現世，也無超越的世界，更沒有一個包括現世與超越世界的大千世界。在這個聖境中，它是無生、無死、無持續、無起、又無落。它不是運動的東西，也不是固定的東西；它並不以任何的東西做基礎。

祇是，唯一可以確定的，即是：在這個聖境裡，一切的不善，都將永遠止息。又，這樣的世界會是什麼樣的世界呢？不可說啊！

國家圖書館出版品預行編目資料

超越生死的智慧／陳俊輝著
－－第一版－－ 台北市：宇河文化出版；
紅螞蟻圖書發行，2008.12
面　　公分－－(Doscover；20)
ISBN 978-957-659-696-4 (平裝)

1.生死 2.生死觀

397.18　　　　97018657

Doscover 20

超越生死的智慧

作　　者／陳俊輝
美術構成／林美琪
校　　對／周英嬌、楊安妮、陳俊輝
發 行 人／賴秀珍
榮譽總監／張錦基
總 編 輯／何南輝
出　　版／宇河文化出版有限公司
發　　行／紅螞蟻圖書有限公司
地　　址／台北市內湖區舊宗路二段121巷28號4F
網　　站／www.e-redant.com
郵撥帳號／1604621-1　紅螞蟻圖書有限公司
電　　話／(02)2795-3656（代表號）
傳　　眞／(02)2795-4100
登 記 證／局版北市業字第1446號
數位閱聽／www.onlinebook.com
港澳總經銷／和平圖書有限公司
地　　址／香港柴灣嘉業街12號百樂門大廈17F
電　　話／(852)2804-6687
新馬總經銷／諾文文化事業私人有限公司
新 加 坡／TEL:(65)6462-6141　FAX:(65)6469-4043
馬來西亞／TEL:(603)9179-6333　FAX:(603)9179-6060
法律顧問／許晏賓律師
印 刷 廠／鴻運彩色印刷有限公司
出版日期／2008年 12 月　第一版第一刷

定價 240 元　港幣 80 元

ISBN 978-957-659-696-4　　Printed in Taiwan